S0-ASN-515

El peso de todas las cosas

SANDRA BENÍTEZ

El peso de todas las cosas

Traducción de
Matuca Fernández de Villavicencio

PLAZA & JANÉS EDITORES, S.A.

Título original: *The Weight of all Things*

Primera edición: marzo, 2002

© 2000, Sandra Benítez
© de la traducción: Matuca Fernández de Villavicencio
© 2002, Plaza & Janés Editores, S. A.
   Travessera de Gràcia, 47-49. 08021 Barcelona

Printed in Spain – Impreso en España

ISBN: 84-01-32927-2
Depósito legal: B. 7.235 - 2002

Fotocomposición: Fort, S. A.

Impreso en A & M Gràfic, S. L.
Santa Perpètua de Mogoda (Barcelona)

L 329272

Para Christopher Charles Title
y Jonathon James Title,
los mejores hijos que una madre puede tener

La vida es más onerosa que el peso
de todas las cosas.

RAINER MARIA RILKE

NOTA

En esta novela se narran dos acontecimientos basados en hechos reales ocurridos en El Salvador.

30 de marzo de 1980: más de 80.000 personas se congreraron dentro y alrededor de la catedral metropolitana para asistir al funeral del arzobispo Oscar Arnulfo Romero, asesinado el 24 de marzo mientras celebraba misa. Murieron 35 personas y 450 resultaron heridas cuando un estallido de bombas y disparos provocó el pánico entre la multitud.

14 de mayo de 1980: 600 campesinos que huían de la represión rural fueron masacrados en el río Sumpul por soldados salvadoreños y hondureños.

UNO

⹂❧⹃

Más tarde, una vez que las bombas cesaron, una vez que la suave brisa se llevó los monstruosos nubarrones que aquellas escupían, una vez que los tiradores —quienesquiera que fueran— enfundaron sus pistolas y desaparecieron entre el gentío, una vez que la policía dejó de responder al fuego e intentó controlar a una multitud enloquecida, se supo con certeza que fue una bala en la cabeza lo que la había matado.

Pero ahora todavía seguía viva. Antes del tiroteo la catedral hervía de gente. Llegaba hasta los portalones y cubría la amplia escalinata hasta la plaza, donde miles de fieles salvadoreños se daban codazos, donde apenas una docena de paraguas protegían del sol. La mayoría soportaba estoicamente el calor, el sudor trazando medias lunas bajo los brazos y triángulos sobre los esternones. Por todas partes se respiraba el olor rancio a humanidad hacinada, de luto.

Como habían llegado pronto, ella y el niño disfrutaban de un buen sitio: contra la baranda de hierro que separaba a la muchedumbre general del féretro del arzobispo Romero, que, sencillo y sin adornos, yacía sobre el rellano de la escalinata y brillaba bajo el sol del mediodía. Sobre el ataúd pendía un estandarte, un estandarte con la cara de bulldog de Monseñor.

Cuando las bombas estallaron, el silencio solemne mantenido hasta entonces por la multitud dio paso a gritos y aullidos, primero fruto de la perplejidad y luego del pánico. Cuando el *¡pakpakpak!* de las pistolas y el *¡brrrt!* de las ametralladoras inundaron el aire, la gente corrió a buscar refugio en todas direcciones. Ella y el muchacho enseguida fueron aplastados contra la baranda, pero ella le agarró la mano con fuerza para que el zarandeo de la muchedumbre no les separara. Trató de saltar el hierro, pues sólo le llegaba a la cintura; pensaba que los dos lo conseguirían, pero también había gente atascada al otro lado. Las balas silbaban en ambas direcciones. Como no era un niño corpulento y poco podían hacer para combatir la presión de la gente, él se acurrucó a los pies de ella con la enjuta espalda apoyada en la baranda.

Con ágiles codazos ella protegió al muchacho. Luego se agachó y le envolvió con su cuerpo, como una bandera blanca. Lo hizo porque era su madre. Lo hizo porque tan sólo el día antes le había recogido en Chalatenango, la región del norte donde vivía con su abuelo; porque esta mañana le había traído en el autobús a San Salvador, un viaje peligroso por tierras que controlaba la guerrilla, pero un viaje necesario si su hijo quería decir algún día: «A los nueve años asistí al funeral de un santo mártir.»

Le susurró al oído palabras que rivalizaban con la locura que les rodeaba.

—Estoy aquí, Nicolás —dijo, esforzándose por matener la histeria a raya. Ignoraba si su hijo podía oírla, pero continuó—. No tengas miedo, la Virgen está con nosotros. Y también Monseñor.

Pobre arzobispo. Muerto hacía apenas unos días, a unos metros de ellos y sin estatua todavía en la hornacina, y ya le estaba pidiendo un milagro. Volvió la cabeza para examinar la situación: las barras de la baranda parecían rejas carcelarias. ¿Cuánto tiempo llevaban ella y el muchacho en esa posición? ¿Cuánto tiempo había pasado desde que le arrancaron el zapato? ¿Cuánta gente le había pisoteado la espalda, usándola como taburete para saltar la baranda? Una bala hizo impacto tan cerca que la vibración del hierro resonó en su oído. Apretó de nuevo su mejilla a la de su hijo y trató de cubrirle mejor. «Santa Madre, protégenos», murmuró.

Nicolás intentaba comprender los rezos de su madre. Ahora yacía de costado, las piernas dobladas sobre el pecho y los brazos aferrados a la mochila. Notaba el suave peso de su madre, los brazos de ella alrededor de su cabeza, sus palabras, como un aliento caliente tras otro, contra la mejilla. Su madre olía a tierra húmeda y dulce. Se imaginó lejos de allí, en la cueva que había encontrado dentro de una de las colinas situadas detrás de su rancho. En ese lugar secreto también se hallaba limitado, pero era un estado que le proporcionaba bienestar. Su cueva era oscura, pero él no temía la oscuridad. Al contrario. La oscuridad era una ventaja frente a la luz del día, la luz que podía descubrirte y señalarte tan acusadoramente como un dedo.

Oyó a su madre repetir una y otra vez una oración sencilla: «Santa María, Madre de Dios.»

El Señor es contigo, respondió él, pero en su mente, el mejor lugar para rezar.

Cuando la bala la alcanzó, el impacto le lanzó los brazos al aire antes de desplomarla. Nicolás notó la presión súbita del cuerpo de su madre, luego su languidez.

—Mamá —dijo, como una súplica.

Años después, cuando ya era mayor y comprendía muchas más cosas, cuando le pedían que relatara lo que había vivido, decía: «Como agua resbalando sobre la piedra, así se me fue.»

DOS

⤜⤛∾⤚⤜

Nicolás permaneció quieto como una estatua. Si hubiese tenido que quedarse así toda la vida, no le habría importado. No sabía, nunca sabría, que la bala que acababa de horadar el cráneo de su madre había viajado por el centro de la cabeza hasta alojarse en el estómago. Esas cosas iban a saberse más tarde, en el improvisado depósito de cadáveres donde un sinfín de médicos trabajaba sobre los cuerpos que los voluntarios de Cruz Verde levantaban de la plaza y cargaban sobre sus hombros como sacos de café.

Tendido bajo la penumbra consoladora del cuerpo de su madre, Nicolás dejó vagar la mente, se permitió no hacer caso del humo acre de las bombas que todavía flotaba en el aire, del sonido de pies en estampida, muchos de ellos ya descalzos, golpeando el cemento de la plaza. Le recordaba al ruido al hacer tortillas de maíz, al *slapslapslap* de la masa girando sobre la palma de la mano. Salvo por este sonido y algunos gritos aislados, sobre la plaza reinaba ahora un silencio aterrador. Algo amargo y espeso le subió por la garganta, pero lo tragó de nuevo. Ojalá hubiese tenido una tortilla para ayudarse. Llevaba cinco colones en las botas; su abuelo le había dado dos billetes para el viaje y el resto se lo había entregado su madre al bajar del autobús. Con cinco colones podría comprar muchas tortillas. Camino de la catedral había vislumbrado los puestos de comida de un mercado. Quiso parar a comer. Él invitaba, dijo a su madre, pero su madre tiró de él. No tenían tiempo, replicó. Y ahora estaban aquí, con el estómago vacío.

Oyó pasos, esta vez de unos pies calzados con algo robusto.

—Atendamos a esta —dijo una voz.

El cuerpo de su madre se elevó y la luz del sol le delató.

—¡Santo Dios, mira esto! —exclamó otra voz. Nicolás se llevó las manos a la cabeza para protegerse—. Es un niño.

—Está vivo —dijo la primera voz.

Una sombra se interpuso entre Nicolás y el sol, la sombra de un hombre que se había puesto de cuclillas a su lado. Llevaba un casco blanco con una cruz verde sobre la visera.

—¿Te golpearon? —preguntó.

Nicolás negó con la cabeza. Se levantó y buscó a su madre con la mirada. El segundo hombre, que también llevaba casco, la había agarrado por las axilas y se la llevaba a rastras. Su madre tenía la cara gacha y lánguida. El zapato que le quedaba arañaba el suelo áspero de la plaza. Finalmente se desprendió del pie y Nicolás corrió a recogerlo. Las piernas le temblaban.

—Es mi madre —dijo—. Creo que se desmayó.

Sacudiéndose la debilidad de las piernas, se agachó para recuperar el zapato. Negro y plano, parecía una barquita como las que manejaba en el río. Nicolás señaló a su madre con el zapato.

—Se llama Lety Veras —dijo, como si la mención del nombre fuera prueba de algo. Guardó el zapato en la mochila y se cargó la bolsa al hombro. Luego se sujetó a la baranda sin apartar los ojos de su madre, de la forma en que los dos hombres la transportaban ahora en medio de ambos—. ¿Adónde la llevan? —preguntó, esforzándose por disimular el miedo. Después de todo, ya tenía nueve años. Además, era un hombre.

—Al interior de la catedral —dijo un hombre, señalando la escalinata con el mentón —. Todavía es peligroso andar por aquí fuera.

Nicolás miró en derredor. El suelo estaba cubierto de papeles y carteles, como si los hubieran lanzado de un camión a toda velocidad. Los voluntarios amontonaban bolsas y zapatos en pilas que parecían de basura. Docenas de personas eran trasladadas a la iglesia: unas colgadas de hombros, otras arrastradas por el suelo y otras suspendidas como hamacas entre dos voluntarios. Para cubrir a quienes arriesgaban sus vidas, hombres de organizaciones populares rodeaban la plaza tendidos sobre sus estómagos. Apoyados en los codos, movían sus pistolas de un lado a otro, pero ya no disparaban.

Nicolás tropezó por el camino con una montaña de zapatos y se apresuró a revolverla con la punta de la bota. Estaba decidido a encontrar el zapato de su madre. Ella se alegraría, ¿pues de qué iba a servirle un zapato sin el otro? No tardó en abandonar la tarea. Casi todos los zapatos eran negros y todos parecían barquitas. Echó a correr para dar alcance a los hombres, quienes, a menos de doce pasos de él, estaban cruzando con su madre la entrada de la catedral. Cuando llegó al pie de la escalinata, una hilera de policías apareció de repente en el rellano. Se colocaron delante de la entrada y la acordononaron.

—¡Prohibida la entrada! —anunció un policía, levantando una mano que parecía tan grande como una señal de stop.

—¡Mi madre está ahí dentro! —gritó Nicolás—. ¡Dos hombres con cruces verdes acaban de meterla! —Se lanzó contra el muro humano, pero el hombre agarró el fusil a modo de ariete y le hizo retroceder—. ¡Prohibida la entrada! —bramó de nuevo. También obligaron a otros a recular.

Detrás de la hilera de policías, los amplios portalones de la catedral eran como una boca bostezante que acababa de tragarse a su madre.

Nicolás corrió hasta un lado de la iglesia y encontró una entrada sin vigilancia. Empujó la puerta y entró. Allí le esperaba un nuevo caos. La iglesia estaba abarrotada de gente: las personas que se habían hallado bajo su techo cuando comenzó el tiroteo y quienes habían logrado huir de la plaza para refugiarse entre sus muros. La gente despotricaba contra el destino, contra la autoridad e incluso contra sus hermanos.

Nicolás se abrió paso a empujones hacia los portalones, que era donde había visto por última vez a su madre. Se introdujo en un espacio despejado y atisbó a dos hombres con cruces verdes que arrastraban a una mujer. Sintiendo un profundo alivio, fue hacia ella, pero cuando la tuvo cerca vio que tenía el cabello gris recogido en un moño. Se dio la vuelta. ¿Dónde estaba su madre?

El perfume del incienso de los altares, mezclado con el olor de la cera caliente y el hedor de una multitud que temía por sus vidas, penetraba en sus fosas nasales y le revolvía el estómago vacío. En la iglesia abundaban los reporteros gráficos. Los *flashes* de las cámaras lo registraban todo. Los ojos de Nicolás nadaban ahora en los cuerpos ensangrentados y boquiabiertos tendidos en el suelo, unos contra otros, como troncos caídos. Los sorteaba con el corazón en un puño, temeroso de que su madre pudiera estar entre ellos. De repente empezaron a silbarle los oídos, como aquella vez en que visitó el mar. Estaba nadando con su madre cuando una ola se abalanzó sobre él y le hizo rodar, abrasándole la piel con la arena y llenándole la boca de sal. Su madre le rescató. Su madre le arrancó de la ola y le estrechó contra su bañador amarillo chillón mientras él escupía y tosía, esforzándose por respirar. «Ya pasó todo, mi niño —había dicho ella—, mamá está contigo.»

Ahora le tocaba a él rescatarla. Tenía que sacarla de esta marejada humana. Recorrió todos los pasillos dando empujones a la gente que avanzaba en su dirección. Registró hasta el último rincón. Gritando para hacerse oír por encima de la algarabía, hacía preguntas a quienes le parecía que podían contestarlas.

—Estoy buscando a mi madre. Los hombres con las cruces verdes la trajeron aquí. ¿Dónde puede estar?

Su pregunta recibía otra pregunta como respuesta:

—¿Estaba herida?

Cuando Nicolás vacilaba, en parte porque no había visto sangre —¿y cómo podía haber herida si no había sangre?—, los rostros se ensombrecían y sus dueños le daban la espalda.

Al final se acercó a un cura porque los curas siempre dicen la verdad. Tiró de la sotana blanca y formuló una pregunta diferente:

—¿Adónde llevan a los heridos?

—Mira a tu alrededor —dijo el cura—. Hay muertos por todas partes. —Señaló los puntos donde estaban alineando los cadáveres.

—No —repuso Nicolás con un enérgico movimiento de la cabeza—. No dije los muertos, sino los heridos. ¿Adónde llevan a los heridos?

—Al hospital —contestó el cura.

En ese caso iría al hospital. Cuando encontrara a su madre, milagrosamente ilesa y perpleja por lo ocurrido, la abrazaría con tanta fuerza que ya nunca podría separarse de él.

TRES

Salió de la catedral por la puerta lateral y se alejó de la plaza por una calle que reconocía. Recordaba la tiendecita de la esquina, la que vendía imágenes de santos y de Jesús. Su madre había señalado un dibujo enmarcado de la Virgen Milagrosa que colgaba de la puerta. Su madre era muy devota de la Virgen e incluso había bautizado a su hijo con ese nombre. Nicolás de la Virgen Veras era su nombre completo. En honor a ella llevaba colgada al cuello una cadena con una medalla ovalada que mostraba la estampa de la Virgen. Al ver la imagen en la tiendecita, Lety Veras se había santiguado, un raudo pulgar marrón contra la frente y la boca. Luego miró a Nicolás, que la imitó. Ahora la tienda se hallaba cerrada y a saber qué había sido de la Virgen. Aunque aún era temprano, la mayoría de los tenderos había echado las persianas y se veían pocos compradores en las calles. Nicolás se metió las manos en los bolsillos y echó el cuerpo hacia adelante, como si caminara contra un fuerte viento. La mochila, colgada de un hombro, le rebotaba contra el costado con el peso del zapato de su madre y otras posesiones.

Aunque se dirigía al hospital, dondequiera que estuviera, primero necesitaba algo en el estómago. Entró en la primera casa de comidas que encontró. Dentro había unas cuantas personas comiendo en largas mesas. Una mujer grande, sin duda la propietaria y seguro que abuela de muchos, giraba hábilmente las tortillas de maíz en la plancha de barro extendida sobre un lecho de rescoldos. Directamente sobre las brasas descansaban unas ollas ennegrecidas por el hollín, llenas de frijoles y de caldo de pollo condimentado con hojas de chipilín. Un jarra de café humeaba al lado de la sopa desprendiendo su delicioso aroma.

Nicolás utilizó un trozo de tortilla para llevarse los frijoles a la boca. Entregó otros quince céntimos y se dio el gusto de un trozo de queso duro. Lo desmenuzó y disfrutó de su sabor picante. En las montañas, donde él y su abuelo vivían, el queso era una rareza. Ahora, con la guerra, apenas había de nada. Sólo tortillas y frijoles. Una o dos veces por semana un huevo. La gallina, naturalmente, ponía todos los días, pero en los tiempos que corrían los huevos eran un producto permutable muy preciado.

La abuela se le acercó.

—¿Quieres más café, chele?

Le había llamado *chele*, que quería decir «blanco». Era cierto que Nicolás tenía la piel clara y los ojos color té, como su madre y la madre de su madre. Había muchos en su región de piel blanca y ojos claros. En el colegio había aprendido el motivo: que muchos, muchos años atrás, una raza de piel blanca procedente del otro lado del mar había ocupado la región náhuat de Chalatenango. «La Conquista», había dicho la maestra, y la palabra había sonado malvada en su boca.

Nicolás se encogió de hombros, indicando con ello que sí quería más café. En cuanto a lo de chele, no dijo nada, que era lo que solía hacer cuando la gente le llamaba así. La mujer se llevó la taza y la llenó de nuevo. Cuando la devolvió a la mesa, se dejó caer en el banco frente al muchacho. Nicolás levantó la vista de sus frijoles, seguro de que la atención no iba dirigida a él. Pero se equivocaba.

—Es peligroso andar por las calles —dijo la mujer. Apoyó su enorme pecho sobre la mesa, como si quisiera darle reposo—. ¿Dónde vives?

—En Chalate —respondió Nicolás, que era una forma de decir Chalatenango—. Vivo con mi abuelo.

—¡Uy! —exclamó la mujer—. Hay mucho peligro allá arriba.

—Sí —respondió él, porque quería ser educado. Si su madre estuviera aquí y le pillara encogiendo otra vez los hombros, seguro que le daba un codazo.

—¿Qué haces aquí?

—Vine al funeral.

—¿Solo?

Nicolás negó con la cabeza.

—Con mi madre. Fue a buscarme a Chalate. Mi madre adora a Monseñor.

—¿Dónde está ahora tu madre?

Nicolás vaciló, porque no conocer el paradero de su madre le impedía responder. Al final se encogió de hombros, sintiendo que esta vez tenía una buena razón.

La abuela bajó pensativamente la cabeza y Nicolás volvió a su frijoles. Entonces notó de nuevo su mirada, pero no levantó los ojos para comprobarlo.

—¿Tu madre vive en la capital? —preguntó al fin la mujer.

Nicolás asintió.

—Trabaja aquí. Es la criada de la familia de don Enrique y la niña Flor.

—¿Qué apellido tienen?

—No lo sé —respondió consternado Nicolás.

Nunca había oído mencionar el apellido o no le había prestado atención. Cuando su madre les visitaba o les escribía, siempre era «la niña Flor» esto y «don Enrique» lo otro.

—¿Dónde viven?

—En un barrio por ahí arriba. —Al comprender que no sabía ni eso sintió que otra ola se abalanzaba sobre él. Tomó un sorbo de café y luego otro, empleando su fuerte sabor como impulso para la pregunta que tenía que hacer—. ¿Puede decirme dónde está el hospital?

La mujer se encogió de hombros y su pecho se elevó brevemente de la mesa.

—Hay muchos hospitales —dijo—. ¿A cuál te refieres?

—El hospital donde llevan a los heridos de la catedral.

La abuela le estudió con sus ojos de papagayo y Nicolás desvió la mirada. Desmenuzó su último trozo de queso en los frijoles y engulló la mezcla con el último trozo de tortilla y el resto del café. Tuvo que tragar con fuerza para conseguir que bajara.

—¿Le ocurrió algo a tu madre? ¿Ocurrió algo en la catedral?

Nicolás se limpió la boca.

—¿Le dispararon?

Nicolás sintió de nuevo la presión del cuerpo protector de su madre.

—¿Mataron a tu madre? —prosiguió la abuela.

Los oídos volvían a silbarle. Se levantó y salió atropelladamente a la calle con la mochila en la mano. No soportaba estar en un lugar donde las palabras *madre* y *mataron* habían sido pronunciadas en la misma frase y flotaban amenazadoras en el aire. Con lágrimas en los ojos, echó a correr. Sus botas chocaban contra la acera con un ruido sordo. Por un momento pensó que la abuela le seguía, pero cuando miró atrás no vio a nadie. Recorrió varias cuadras y la cúpula de la catedral asomó como un presagio ante sus ojos. Decidió volver allí. Empezar donde había visto a su madre por última vez.

En comparación con lo que había vivido antes, en la iglesia reinaba un silencio enigmático. Pese a la presencia de los soldados en la escalinata y la plaza, no tuvo problemas para entrar. Cruzó una puerta lateral y encontró algunas personas arrodilladas en los bancos y otras vagando por los pasillos, pero eran pocas comparadas con la multitud de unas horas antes. Se habían llevado todos los cuerpos, incluido el féretro de Monseñor. Los portalones estaban cerrados y las velas de las hornacinas y los altares le sacudían la sombra al pasar por delante. Durante una hora volvió sobre sus pasos en busca de su madre, acompañándose de una breve oración. Si su madre no estaba en la iglesia, quizá se hallara en casa de don Enrique y la niña Flor. Se concentró en esta feliz posibilidad. Imaginó a su madre abriendo la puerta de la casa de una familia rica. Su sorpresa al verle. ¡Por fin!, exclamaría. Te he buscado por todas partes.

Había anochecido y Nicolás estaba sentado en un banco trasero, un lugar discreto y en penumbra. En la pared que tenía al lado, un candelabro de vidrio rojo iluminaba un cuadro de la Virgen Milagrosa. Vestía una túnica blanca bajo un manto azul y un velo largo de color crema. Sobre la cabeza de la Virgen descansaba una corona de oro y de sus brazos extendidos salían rayos plateados. Nicolás interpretó el hecho de que la imagen de Nuestra Madre Milagrosa mirara en su dirección como otro presagio. En la pequeña iglesia de su pueblo había una hornacina con una estatuilla de madera de la misma santa. Cuando su madre iba a verle, antes de que cerraran la iglesia, cuando todavía podían ir a misa, le llevaba hasta la estatua y encendía una vela.

—Reza a la virgencita, Nico —le decía—. Ella también es tu madre.

Nicolás de la Virgen Veras sabía que era cierto. Lo sabía porque en ese momento, en presencia de Nuestra Señora, se le ocurrió un plan. Por la mañana subiría al autobús de Chalatenango y regresaría a El Retorno, su pueblo. Una vez en casa, buscaría las cartas de su madre y por el sobre averiguaría dónde vivían don Enrique y la niña Flor. Luego regresaría junto a su madre y la sorprendería con el zapato. Pero por esta noche haría del banco su cama y, hecho un ovillo, trataría de dormir bajo la mirada vigilante y azulada de su segunda madre.

CUATRO

A las seis, cuando el cielo se estaba tornando rosa, Nicolás subió al autobús número 38, que iba a Chalatenango, un vehículo grande y ancho cuyo tubo de escape escupía nubes de humo diésel. Se sentó en un banco estrecho forrado con un plástico agrietado verde. El respaldo hacía presión hacia adelante, por lo que resultaba incómodo. Había elegido ese sitio deliberadamente; quería viajar al lado de una mujer mayor que iba apoltronada junto a la ventana. Todas las ancianas del mundo parecían emparentadas; todas tenían el rostro apergaminado, el pelo fuerte y gris, la cabeza y los hombros cubiertos por un delgado tapado. Todas vivían su vida en silencio y convertían en una norma no mirar nunca a un desconocido a los ojos. Nicolás opinaba que era aconsejable buscar a las ancianas aunque apenas cruzaran más de dos palabras. La compañía de los jóvenes, sobre todo de los varones, era peligrosa. Los soldados del Ejército Nacional los arrancaban con demasiada frecuencia de los autobuses, de las casas de comidas, incluso de la santidad de sus hogares. Pavoneándose en sus uniformes de camuflaje, los bajos de los pantalones remetidos en las botas, llevaban fusiles que no dudaban en utilizar si alguien despertaba sus sospechas. Otras veces, la amenaza provenía de los escuadrones paramilitares, hombres con uniforme caqui y gorra con visera igualmente armados, tropas de asalto que arrojaban redes de apresamiento y realizaban inquisiciones. Y por encima de todo estaba la presencia constante de la Policía Nacional, la Policía Fiscal y la Guardia Nacional, todos con casco redondo y correa en el mentón, todos armados con fusiles y un odio desconcertante por sus hermanos.

Atrapados en medio de sus armas estaba el pueblo, el pueblo en cuyo supuesto beneficio se libraba esta guerra. A un lado estaba la derecha afirmando que luchaba contra la tiranía del comunismo. Al otro, la izquierda combatiendo, decía, la injusticia de los oligarcas y militaristas. Pero mientras ambos flancos peleaban por sus principios, la mayoría de las muertes se producía entre la gente corriente.

Desde el comienzo de la guerra un año atrás, la normalidad había ido desapareciendo de la vida de Nicolás y su abuelo, don Tino Veras, a pasos agigantados. Antes, el Tata, como Nicolás cariñosamente le llamaba, madrugaba para cuidar de su pequeña parcela de tierra, de su maíz y sus judías, de su sorgo y sus tomates; antes Nicolás ayudaba al Tata en el campo cuando podía; antes pasaba los días laborables en el pueblo, alojado en casa de Úrsula Granados, para asistir a la escuela, estudiar el alfabeto, aprender los nombres de plantas y animales y percatarse de la increíble importancia de los números. Ahora el caos gobernaba sus vidas.

La escuela era un mar de escombros tras el feroz combate entre el ejército y la guerrilla de las FPL, las Fuerzas Populares de Liberación. Un año atrás, el padre Rugelio, partidario de la teología reformista de la Iglesia, había sido abordado por un grupo de la Guardia y apaleado con tanta saña que su cabeza ya no volvió a ser la misma. Pero existía una verdad aún más espantosa sobre este ataque: para dar una lección a los comunistas maricones, se jactó la Guardia, le introdujeron por el recto una rama de jocote gruesa como una muñeca. Y así, sin cura que celebrara misa, con la iglesia rodeada de sospecha y, por tanto, peligro, ¿qué otra cosa podían hacer los fieles salvo mantenerse alejados de ella?

El calor se apoderó de la mañana cuando el sol salió por

entero. Era finales de marzo, el punto álgido del verano. Sólo cuando las lluvias de mayo llegaran remitiría este calor abrasador. El autobús no iba lleno —últimamente, con los tiempos que corrían, casi todos los autobuses que viajaban al norte, a Chalatenango, transportaban poca gente—, de modo que era fácil encontrar asiento. Nicolás miró por la ventanilla el paisaje que se deslizaba ante sus ojos: el marrón de la tierra reseca, las hojas de los árboles polvorientas e inmóviles, los caballos y las vacas vagando resignadamente por los pastos marchitos. De vez en cuando pasaban por un campo de caña de azúcar o maíz con la tierra ennegrecida por una quema reciente, un acto deliberado que preparaba el suelo para su siembra. La tierra abrasada desprendía un olor áspero. Camino del norte los campos daban paso a montes rocosos y gargantas profundas llenas de arbustos espinosos que se mezclaban con senderos y, en algunos lugares, caminos de tierra. Lechos de arroyos secos recorrían el fondo de algunos barrancos y de tanto en tanto, cuando el autobús salía de una curva, asomaban los ríos Lempa y Sumpul con sus aguas bajas y marrones. El autobús con rumbo al norte gemía y perdía velocidad cada vez que el conductor cambiaba de marcha.

Nicolás dio un ligero empujón al respaldo para enderezarlo, pero fue inútil. El sudor le empapaba el cuello de la camisa y goteaba por la espalda. Se pasó una mano por el cuello y se la secó en sus vaqueros azules. Abrió la mochila y sacó una tortilla. Camino de la terminal de autobuses había comprado un puñado de tortillas calientes y un pedazo de queso. Partió una esquina del queso y lo acompañó con la tortilla. Pensó en la sorpresa que daría al Tata con semejante extravagancia. También le sorprendería su temprana llegada, se dijo con tristeza. Estaba previsto que Nicolás pasara un tiempo con su madre en San Salvador, en casa de la niña Flor. Qué le diría al Tata cuando lo viese de regreso apenas un día después de su partida. Todavía no lo había decidido. ¿Debía decirle la verdad, que había perdido a su madre pero que seguro que se hallaba sana y salva en casa de la niña Flor? ¿Que necesitaba la dirección de la niña Flor para confirmarlo? ¿O debía ahorrar a su abuelo más angustia de la que ya padecía a diario? Le diría: «Regresé a casa para…» ¿Para qué? ¿Para ver al pollo moteado? ¿A *Capitán*, el perro color orín de su abuelo? ¿A *Blanca*, la cabra?

El Tata había comprado la cabra unos años antes para que las crías y la leche les proporcionaran un dinero. Nicolás la llamó *Blanca Nieves* porque era muy blanca y porque en la escuela la maestra les estaba leyendo una historia sobre una señora blanca como la nieve que vivía en una cueva con siete enanitos. Los enanos tenían nombres divertidos y a los niños les hacía mucha gracia que uno se pasara el día bostezando, otro no parara de estornudar y otro se riera por todo. Reyes Orellana, compañera de clase de Nicolás, preguntó a la maestra por qué el hombrecillo que no podía parar de estornudar no iba al médico. «A lo mejor tiene alergia», explicó la niña. Carmelina, la madre de Reyes, tenía alergia y había encontrado unas pastillas para curarla en una de las clínicas populares de El Carrizal. Ahogando una sonrisa, la señora Menjívar, la maestra, dijo que se informaría. Nicolás se puso triste al recordar a sus compañeros de clase. Reyes estaba entre los que habían muerto la vez que los guerrilleros se refugiaron en la escuela y el ejército acribilló el edificio con sus armas automáticas. La maestra también había muerto. Y sus amigos Abel, Fidelina y Amado. Nicolás había tenido suerte. Ese día se encontraba en casa, ayudando al Tata a recoger el maíz.

Nicolás dio otro bocado a la tortilla. El olor penetrante del queso despertó a la mujer, que se volvió y se quedó mirándolo. Nicolás hizo un movimiento con la cabeza que indicaba su deseo de compartirlo, y la anciana le brindó una sonrisa rápida y desdentada, su forma de aceptar la oferta.

—*Gracias, chele** —dijo mientras mordisqueaba la tortilla.

—*De nada** —respondió Nicolás.

Mirando al muchacho con el rabillo del ojo, la anciana recogió las migajas de queso que habían rodado por su tapado.

* En español en el original. *(N. de la T.)*

32

—Me recuerdas a mi nieto. Es delgado, como tú. Se llama Joaquín, como mi hijo, pero mi hijo está muerto.

—Ya —dijo Nicolás, porque era evidente que ella tenía más ganas de que la escucharan que de conversar.

La mujer hizo un gesto de resignación con la mano.

—Joaquín era un buen hombre, y un buen padre. Como era honrado, sus vecinos le respetaban. La gente sabía que podía acudir a él cuando necesitaba ayuda. —Levantó la mano del regazo y la dejó caer de nuevo—. Ay, pero ¿de qué le sirvió tanta honradez y tanta bondad?

Guardó silencio y Nicolás, por respeto, hizo otro tanto. Miró el paisaje. Al cabo de un rato la mujer reanudó su relato. Clavó la mirada al frente, como si tuviera su pasado delante de los ojos.

—La Guardia lo mató en su propia cama, a las seis de la mañana. Entraron y le dispararon.

Nicolás asintió mientras la angustia le aguijoneaba por dentro. Pensó en Alcides Naranjo, que vivía a dos puertas de la casa de Úrsula Granados. Decían que Alcides pertenecía clandestinamente a la UTC, Unión de Trabajadores del Campo, una organización que luchaba por los derechos de los campesinos y las cooperativas. Un año antes, alguien del grupo paramilitar llamado irónicamente Orden le señaló con el dedo. Nicolás estaba en casa de Úrsula y oyó alboroto en la calle. Unos hombres uniformados se dirigían a casa de Alcides. Aporrearon la puerta con sus fusiles y gritaron «¡Es la casa de un comunista!» antes de prenderle fuego. La vivienda ardió como la paja con Alcides Naranjo dentro. Ahora Nicolás estaba sentado junto a la madre de alguien a quien la Guardia consideraba un subversivo. Quiso cambiar de asiento.

—Pero matar a Joaquín en su propia cama no les bastó —prosiguió la mujer—. No, no. Tuvieron que cortarle la cabeza. La Guardia clavó la cabeza de mi hijo en una estaca para que el pueblo la viera. Para darles una lección, dijeron.

Nicolás notó que la mujer se disponía a decir algo más, pero en ese momento el autobús empezó a frenar. Enderezó la espalda y miró al frente.

—¿Qué ocurre? —preguntó la anciana mientras se agarraba al asiento de delante para levantarse.

—Un control —contestó Nicolás.

—Qué importa uno más o uno menos.

La mujer se desplomó en su asiento y tomó la mano de Nicolás con tanta fuerza que este se sobresaltó.

Desde su posición Nicolás veía la hilera de rocas que atravesaba la carretera y los soldados con sus fusiles y sus uniformes de camuflaje de pie sobre el asfalto. Metió rápidamente su mochila debajo del asiento y colocó los pies delante, firmes y planos. En la bolsa llevaba la linterna y la navaja suiza multiusos. Por ese lado era afortunado. Su madre trabajaba para alguien que le regalaba cosas para su hijo. Y artículos más prácticos, como ropa y botas resistentes. Cosas poco habituales en un muchacho de campo como él.

El autobús se detuvo del todo con un chirrido de frenos. Los pasajeros permanecieron en sus asientos. El conductor tiró de una manivela y la puerta se abrió con un suspiro. Un soldado subió, fusil en mano, y barrió con la mirada el interior del autobús.

—Identificación —dijo a la mujer del primer asiento. Cuando esta le entregó la tarjeta, el hombre comprobó con detenimiento el parecido de su cara con la foto—. ¿De dónde vienes? ¿Adónde vas? ¿Dónde vives? —Satisfecho con la tarjeta y las respuestas, echó a andar por el pasillo.

Un hombre sentado unas filas por delante de Nicolás no tuvo tanta suerte. Sin mirar siquiera su identificación, el soldado bramó:

—¡Abajo!

El hombre avanzó por el pasillo, el cuello cada vez más hundido entre los hombros. Nicolás no alcanzó a ver lo que ocurrió después, pero conocía de sobra el procedimiento: otro soldado obligaría al hombre a apoyar los brazos en el autobús y con el cañón del fusil le abriría las piernas para, acto seguido, cachearle. El hombre no volvería a subir al vehículo. Probablemente sería el día de hoy el que la familia y los amigos mencionarían cuando contaran la historia de su desaparición.

—Identificación —dijo el soldado al llegar a la fila de Nicolás.

Como sólo tenía nueve años, no poseía papeles de identidad, pero la abuela sí. Los sacó de debajo del abrigo.

—Es mi nieto y viaja conmigo —dijo al soldado mientras aferraba la mano de Nicolás con fuerza.

—¿Adónde van? —preguntó el soldado sin levantar la vista de los papeles.

—A Chalatenango —respondió la mujer—. Vivimos allí.

—¿De dónde vienen?

—De Apopa, de ver a Clelia, mi hija. Es la madre del muchacho.

El soldado le devolvió la identificación.

—¿Y cómo está tu madre? —preguntó a Nicolás.

—Mi madre está bien —respondió él.

Nicolás se bajó del autobús en Las Cañas y subió a otro que se dirigía al nordeste, a Dulce Nombre de María, la población más importante de la región. El Retorno, su pueblo, se hallaba a una hora de camino en dirección norte. Al final de la calle mayor (el pueblo sólo tenía dos calles: una que subía y bajaba y otra que la cruzaba) estaba la pequeña iglesia de adobe, tan sencilla que no tenía campanario y aún menos campana. Camino de su casa, tal como su madre le había enseñado, Nicolás siempre se detenía en la iglesia y encendía una vela a la Virgen Milagrosa. Hoy lo haría para darle las gracias.

CINCO

Donde los que no eran de El Retorno, la personas meramente de paso, advertían dureza y monotonía, Nicolás veía algo más. Donde ningún color daba la bienvenida al ojo del visitante, salvo por el triste tono del polvo y el hollín, de las piedras que cubrían las dos calles, Nicolás veía una cordial paleta de marrones, pardos y beiges. Porque había nacido aquí, porque el paisaje era su herencia, no le deprimía. Ni tampoco los edificios que flanqueaban la calle, humildes casas y comercios que se sostenían mutuamente y estaban hechos de cañas de bajareque y barro encalado. Con el tiempo, las paredes se cubrían de mugre, el relleno caducaba y los pedazos de barro caían a la calle silenciosamente. Nadie los recogía. Permanecían allí como una prueba más de cuán severos podían ser los tiempos.

Para Nicolás este pueblo era su hogar, y en su situación extrema reconocía su propia vida, lo que había vivido y lo que aún tenía que vivir, y lo aceptaba porque le pertenecía. Era un sentimiento profundo, y si le pidieran que lo explicara tendría que encogerse de hombros e incluso decir que no entendía la pregunta.

De nuevo en El Retorno un día después de su partida, con su ausencia tan fresca que la memoria no podía desvirtuarla, Nicolás se detuvo en medio de la calle y advirtió que estaba desierta. El intenso calor del mediodía le aplastaba contra el suelo y el aire desprendía un olor a polvo que no reconocía. Tiró del faldón de su camisa y se secó la cara. Se puso la mochila al hombro y notó el zapato de su madre en la espalda. Entonces echó a andar por un lado de la calle y pasó bajo el alero de la tienda de doña Paulina. Las puertas estaban cerradas a cal y canto, algo tan extraño como la lluvia en marzo, sobre todo en estos tiempos en que los guerrilleros que se ocultaban en las montañas, no lejos de allí, podían aparecer en cualquier momento, en estos tiempos en que era probable que el ejército anduviese tras ellos. Pues, a fin de cuentas, ambos eran buenos clientes. Aunque había guerra y el dinero escaseaba, la situación no mitigaba la necesidad de azúcar y harina de maíz, de aceite y manteca, de sal y café. Y, naturalmente, la demanda de pilas, cerillas y cigarrillos había aumentado.

Nicolás caminaba lentamente, envuelto por el calor de la calle y de la maleza que había más allá. De los árboles le llegaba el zumbido de las cigarras. Pasó por delante de la tortillería de Úrsula Granados. La puerta estaba abierta. Nicolás contempló los tubos galvanizados llenos de masa de maíz, los dos hornos de colmena con sus enormes planchas redondas de barro. Era en esos círculos donde se hacían las tortillas, pero hoy los hornos estaban fríos, pues la madera no refulgía por las aberturas laterales. A una hora en que la tienda debería hervir de gente, Úrsula no estaba.

Nicolás entró. El local comprendía una habitación espaciosa con una puerta al fondo que daba a un patio y a la vivienda de Úrsula. Dio un pellizco a la masa de maíz. La superficie estaba endurecida. Hundió el dedo y notó la humedad. En un comal había cinco tortillas dispuestas en forma de abanico. Al reagruparlas, Nicolás comprobó que estaban duras y quebradizas. Abrió la puerta que daba al patio y gritó:

—¿Está ahí, niña Úrsula? Soy yo, Nico Veras.

Llamaba a la propietaria «niña», término cariñoso dirigido a mujeres de todas las edades. Nicolás había cruzado ese patio infinitas veces, y otras tantas había dormido acurrucado como un bebé en una estera de paja, bajo el tejado de la estrecha galería situada frente al cuarto de Úrsula.

Nadie respondió a su primer saludo, de modo que gritó de nuevo. Tampoco esta vez obtuvo respuesta. Regresó a la calle, ahora completamente alerta. Sintiendo que el miedo le cerraba la garganta, echó a andar con paso cauto hacia la iglesia. Bajó la vista y advirtió que se llevaba las tortillas. Soltó una carcajada, más para tranquilizarse que porque le resultara gracioso. Cuando llegara a casa echaría las tortillas a la cabra y la gallina. Continuó calle arriba y vio que la puerta de la farmacia también estaba cerrada. Miró a un lado y otro, alerta a cualquier movimiento, la respiración queda para oír mejor. Ojalá tuviera alas para volar hasta su abuelo.

Dobló la esquina en el cruce de la calle principal con la secundaria. Lo que vio le hizo soltar las tortillas: la calle, antes poblada de casas, comercios y la escuela —aunque esta llevaba meses medio derruida— era ahora un enjambre de escombros y edificios derruidos. La casa de don Pablo estaba medio caída. La de la niña Delfina también. La casa de doña Orbelina y su hija María Clara se había desplomado por completo. En la esquina ocupada por el taller de Emilio Sánchez, el mecánico, ahora sólo quedaban paredes al aire y un trozo de tejado. De entre los cascotes se elevaba un humo negro.

La aprensión de Nicolás dio paso al terror. Miró más allá de los escombros, más allá de los árboles y las montañas, hacia donde estaba su hogar, a dos horas de camino, y pensó: Tata, ¿estás ahí?

Guardó las tortillas en la mochila y cruzó la calle evitando los escombros, los cascotes, los fragmentos de tejados ya inexistentes y los restos irreconocibles de lo que habían sido pertenencias familiares. Cuando llegó al taller, o lo que quedaba de él, encontró a Emilio Sánchez removiendo con un palo un montón de cascotes humeantes, como si buscara algo de gran valor.

Llevado por la costumbre, Nicolás atravesó lo que había sido la entrada del taller y ahora era un marco de puerta con triángulos de pared sujetos a ella.

—¡Don Emilio! —exclamó—. ¿Qué ocurrió?

Emilio Sánchez levantó la vista. No llevaba camisa, sólo pantalones y zapatos y un pañuelo tieso de mugre atado al cuello. Las costillas se le marcaban tanto como al perro que permanecía pacientemente a su lado con la cola curvada hacia abajo, como una larga *C*. Estaban rodeados de pedazos de adobe, cañas de bajareque y lo que quedaba de la mesa, los bancos, los estantes y las latas con sus clavos, tornillos y juntas, alambres, trozos de tubos, todas las cosas que forman parte del oficio de mecánico.

—El ejército nos bombardeó —explicó Emilio con la naturalidad de quien habla del tiempo—. Malditos guerrilleros hijos de puta. Antes de que aparecieran, con los sindicatos y las cooperativas había paz en nuestro pueblo. Ahora sólo hay fuerzas de seguridad y luchas con la guerrilla. Y encima esto. —Sacudió tristemente la cabeza—. Como si no me alcanzara con las bombas, me estalló el depósito de acetileno.

—¿Qué sabe de las montañas? —preguntó Nicolás—. ¿Bombardearon también las montañas?

Señaló hacia su casa y contuvo la respiración. Emilio dejó tranquila la pila de escombros.

—¿No estabas allí? —dijo—. ¿No vienes de arriba?

—No. Estaba en San Salvador con mi madre.

El mecánico asintió ligeramente para indicar que comprendía.

—Creo que las montañas están a salvo —dijo—. Los muy hijos de puta iban tras los guerrilleros que se habían escondido junto al río. El bombardeo los sacó de sus guaridas. Un grupo cruzó corriendo el pueblo y los aviones les siguieron. Yo estaba en la tienda de Paulina cuando oímos el estruendo.

Mientras Emilio hablaba, Nicolás se permitió sentir una pizca de alivio, pero sólo una pizca.

—¿Cuándo ocurrió?

—Ayer, temprano por la mañana.

—Yo me fui al amanecer.

—Pues tuviste suerte, muchacho. Te perdiste el último regalito que nos hizo el ejército. —Emilio soltó un gruñido que pretendía ser una risa—. Esto es obra de bombarderos. También lanzaron cohetes. —Gruñó de nuevo—. El ejército está probando el último regalo de los gringos, los aviones que sobrevivieron a Vietnam.

—¿Dónde está la gente?

—Se marchó. Se fueron todos menos yo. —Emilio dirigió el palo al vacío y luego regresó a los cascotes—. Yo y los que cayeron en el bombardeo, claro.

—¿Quién cayó?

Desde el comienzo de la guerra, ese verbo se había convertido en un eufemismo corriente para quienes perdían la vida.

Emilio Sánchez señaló la calle con la mano libre.

—Doña Orbelina y la María Clara. Su casa estalló y tuvimos que desenterrarlas con palas.

—¿Y don Pablo? ¿Y la Delfina?

—Estaban heridos, pero pudieron huir.

—¿Y la niña Úrsula? Vengo de su casa.

—Se fue con Paulina. —Emilio encorvó los hombros—. No queda nadie, Nico. Hasta los guerrilleros huyeron. Dejaron a sus muertos y se llevaron a sus heridos.

—Estuve fuera un solo día y mire todo lo que ocurrió.

—Debiste quedarte fuera más tiempo.

Nicolás asintió.

—Me voy a casa y usted se viene conmigo. Puede quedarse con nosotros. Tata y yo tenemos un lugar donde podemos escondernos si es necesario. —No quería especificar demasiado. A veces, solía decirle Tata, hasta los amigos pueden convertirse en enemigos.

Emilio Sánchez gruñó de nuevo.

—Te lo agradezco, pero no. Por ahora me quedaré en la iglesia. Por cierto, también la asaltaron.

—¿La iglesia?

—Los muy hijos de puta destruyeron la mitad.

Nicolás levantó la vista hacia la colina. La cuesta que conducía a la iglesia era un mar de heridas. La tierra escabrosa que había quedado al descubierto daba cuenta de lo delgado que era el mantillo. El tejado de la iglesia había desaparecido casi por entero y el sol dejaba ver los daños. El conacaste que había dado sombra al edificio durante toda la vida de Nicolás seguía en pie, pero el enorme tronco estaba partido en dos y mostraba su corazón amarillo y blando. Las ramas y las hojas descansaban ahora sobre la iglesia.

Nicolás subió la cuesta con un miedo renovado. ¿Había algo en su vida que la guerra no pudiera tocar? Saltó por encima de los restos del muro del este. Medio altar mayor había quedado destruido y la otra mitad se hallaba oculta bajo las ramas del conacaste. Los bancos estaban rotos y esparcidos por el suelo. Trozos de muro, tejado y ventanas reposaban sobre ellos como balancines. La pared oeste parecía ilesa pero se hallaba en penumbra. Era la pared que contenía la hornacina de la estatua de la Virgen Milagrosa. Nicolás avanzó con cuidado sobre los escombros, apartando las motas de polvo con que le envolvía el aire soleado.

La hornacina estaba intacta. Las ofrendas —recortes de latón con la forma de vacas, cabras, cerdos y bueyes, de espigas de maíz y perlas, de partes del cuerpo como ojos, piernas, manos y corazones— que la gente había clavado en torno a la hornacina como agradecimiento por los milagros concedidos también seguían allí. El hueco, sin embargo, estaba vacío. Nicolás acarició su medalla de la Milagrosa y se puso a buscar. Caminaba en cuclillas, como un pato, entre los escombros, aplastando los vidrios rotos de las velas votivas con las botas. Buscó a la Virgen a través de la luz pálida y polvorienta. Entonces se acordó de la linterna y abrió la mochila. Del interior escapó el olor a tortillas y al queso que había comprado esa mañana. Extrajo la linterna y reanudó la búsqueda con renovadas esperanzas.

Encontró la estatua debajo de un trozo de banco astillado. La examinó bajo la luz del sol y procedió a limpiarla con el faldón de la camisa. Labrada en madera de pino, medía dos palmos y estaba pintada de azul, blanco, dorado y plateado. El escultor había utilizado una única pieza de madera para crear el cuerpo, el manto y el velo. Los brazos de Nuestra Señora, ligeramente doblados por el codo, y la corona que lucía en lo alto de la cabeza, estaban hechos con trozos separados. La corona tenía una punta quebrada y a la estatua le faltaba el brazo izquierdo de codo para abajo. Los rayos que hubiera debido proyectar la mano —tres varillas de madera pintadas de color plateado— también habían desaparecido, pero Nicolás podía verlos con la misma claridad que si estuvieran presentes. El brazo derecho estaba entero y la mano, pequeña como una concha marina, miraba hacia arriba, pero también sus rayos habían desaparecido. El manto tenía una profunda grieta detrás, y una escisión, como una lágrima diminuta, desfiguraba una de las mejillas. Nicolás miró fijamente los ojos de porcelana azul de la Virgen. «Ahora estás a salvo conmigo», le dijo. Se la llevaría a casa y ella arreglaría allí las cosas. Le dio otro repaso con la camisa y la guardó en la mochila. Entonces notó que encajaba cómodamente con el zapato de su madre en forma de barquita.

Seis

El viaje desde El Retorno nunca era fácil. El trayecto subía y bajaba por montañas rocosas y gargantas dentadas. Por algunos cañones corrían riachuelos que, en la estación seca, se podían cruzar con tres o cuatro pasos. La vegetación sofocaba las gargantas. Algunas variedades, más que inhóspitas, eran terriblemente peligrosas: en las zonas bajas los densos bosques de bambú con sus hojas vellosas y afiladas, los feroces arbustos del chichicaste y las espinas del izote; en lo alto de las cordilleras, pinos y cipreses escuálidos que crecían como pelos tiesos sobre el lomo de un puerco. De la estéril tierra brotaban, Dios sabe cómo, la casia, el morro y el jocote. Y en medio de todo esto surgía una flora que no era ni arbusto ni árbol, sólo un triste sustituto de la hierba verde.

Pero en la estación de las lluvias el paisaje se transformaba. La bendita humedad se precipitaba sobre el follaje y limpiaba las hojas del polvo que las había asfixiado durante meses. Los arroyos crecían y corrían tan deprisa que tomaban desviaciones inesperadas. Cuando llovía, los cantos rodados, las rocas y los guijarros utilizaban la humedad para mostrar cualidades ocultas: vetas sorprendentes, colores intensos, dibujos de sus fases evolutivas. Así y todo, tanto en la estación seca como en la lluviosa los cantos rodados, las rocas e incluso los guijarros podían hacer tropezar al viajero y precipitarle a un barranco profundo.

Durante el trayecto de hoy Nicolás procuró evitar tales obstáculos. Las botas, con sus gruesas suelas de caucho y sus ganchos de metal para sujetar los cordones de cuero, le facilitaban la marcha. Su madre se las había dado un año antes, uno de los mejores regalos que la niña Flor le había hecho. Aquel día Nicolás estaba sentado bajo un copinol, afilando la hoja de su machete con una piedra pómez, cuando los ladridos de *Capitán* anunciaron la llegada de su madre. La vio avanzar con paso resuelto por el sendero y cruzar la arcada de árboles que conducía al rancho. El perro corrió a recibirla con feroces ladridos compensados por una cola agitada. Su madre llevaba las botas colgadas del hombro por los cordones, y la de delante le rebotaba en el pecho a cada paso que daba.

—Mira lo que te traigo —dijo cuando llegó junto a su hijo.

Los ladridos de *Capitán* habían despertado al Tata, que se encontraba dentro de la casa, dormitando en su hamaca. El abuelo salió en el momento en que Nicolás se estaba probando las botas. Los tres contuvieron la respiración ante el temor de que le quedasen pequeñas. Al final resultaron un poco grandes, lo cual era mucho mejor.

Esta tarde Nicolás no se detuvo a descansar pese a tener la camisa empapada de sudor. A cada curva esperaba que apareciera un guerrillero en retirada o un aldeano atemorizado. Llevaba a Nuestra Señora a la espalda, como una mano firme que le guiaba y le calmaba el temor que crecía en su interior, el temor de encontrar en casa lo mismo que había dejado atrás. Hincó el mentón en el pecho y avanzó hacia la cumbre que, a sólo unos minutos, se dilataba para crear el terreno que acogía su hogar. Una vez arriba, divisó la línea de árboles —marañón, copinol, mango y zapote— que daba sombra al rancho. Eran árboles renacidos, delgados y de mediana altura, pero lucían hermosos porque estaban derechos e intactos. El canto de las cigarras le dio la bienvenida. Siguiendo la sombra de los árboles, Nicolás avanzó por el cuidado sendero y dio un grito de alegría al ver las dos pequeñas estancias coronadas con hojas de palma y, al lado, el cobertizo de la cocina con su techo de teja roja. En todo el mundo no había una imagen más hermosa. Se hallaba a unos pasos del rancho cuando se detuvo en seco. *Capitán*. ¿Dónde estaba el perro? ¿Por qué no había ladrado?

—¡Tata! —gritó Nicolás—. Tata, ¿estás ahí?

Silencio.

Entró en la habitación principal del rancho. Estaba vacía, pero todo se hallaba en su lugar. Las hamacas, desenganchadas de un extremo, colgaban de la pared formando un charco de malla sobre la tierra endurecida. Junto a otra pared descansaba la cómoda, coja como siempre. Encima, clavadas con tachuelas, había tres imágenes religiosas de diferentes tamaños: una de Nuestra Señora, otra de Jesús y la tercera de san Judas, el santo de lo imposible. En la segunda habitación, la mesa y las tres sillas de madera, con la pintura verde levantada, estaban en su posición habitual. En la cocina, el hogar circular, delimitado por cuatro piedras grandes hundidas en el suelo, sólo contenía cenizas frías.

Nicolás salió al jardín y se sentó en el banco. La gallina moteada, que dormitaba sobre la rama baja de un zapote, le recibió con un cloqueo y volvió a hundir el cuello en las plumas. Todo está bien, pensó Nicolás, lo cual le tranquilizó ligeramente, si bien la ausencia del Tata todavía le inquietaba. Entonces cayó en la cuenta de algo evidente y se sintió un idiota por no haberlo pensado antes: el Tata estaba pescando en el río. Nicolás se levantó de un salto y entró en la casa. La red del Tata no estaba amontonada sobre las sillas de la otra habitación, su sitio habitual. El cubo turquesa que utilizaba para transportar los peces tampoco estaba. Gracias, Virgencita, dijo en silencio. Se sentó bajo los árboles y dejó la mochila al lado con sumo cuidado. Seguro que el Tata había ido río abajo, a ese punto del Sumpul, cerca del pueblo, donde siempre encontraba peces. A esta hora, con la caída del sol, era un buen momento para pescar tilapias. También por la mañana temprano, cuando la neblina empezaba a despegarse del agua.

Nicolás dio un respingo al acordarse de la cabra. Cuando el Tata iba a pescar, siempre dejaba a *Blanca* atada dentro de la cueva para que no le siguiera. Sacó la linterna de la mochila, agarró el machete de la cocina y partió.

La cueva se hallaba en una pequeña colina situada detrás del rancho. Nicolás la había descubierto dos años antes, después de que una enorme roca rodara por un macizo opuesto durante una tormenta. Él y su abuelo notaron el temblor del suelo bajo sus pies mientras la piedra caía. Cuando la tormenta pasó y asomó el sol, Nicolás salió a inspeccionar su efecto. Al seguir el rastro de la roca se dio cuenta de que durante la caída había aplastado la vegetación que encontró a su paso, incluidas las parras y el follaje que ocultaban la entrada de la cueva.

No era una cueva grande. El interior podía recorrerse en cinco pasos en una dirección y en seis en la otra. Era lo bastante alta para que el Tata no tuviera que agachar la cabeza. La propia naturaleza había creado unos entrantes en las paredes, de manera que cuando encendían velas la cueva parecía una capilla. Como si el descubrimiento de este santuario no fuera fortuna suficiente, de él partía un túnel bajo e inclinado que se hundía en la tierra y terminaba a unos metros del río. El hallazgo de la cueva había tenido lugar durante la estación lluviosa, cuando el río estaba crecido y el túnel lleno de agua hasta la mitad, de modo que no sabían adónde conducía. Pero cuando las lluvias cesaron y el caudal del río descendió, el túnel se secó y descubrieron que, con la cabeza gacha, podían llegar hasta el Sumpul.

El Tata y Nicolás trabajaron durante semanas para dar a la cueva una utilidad. No era tarea fácil, porque la roca había taponado casi toda la entrada. Para acceder al interior tenían que arrodillarse y deslizarse por alguno de los estrechos resquicios que habían quedado entre la roca y la boca de la cueva. Utilizaron azadas y machetes, herramientas lo bastante delgadas para pasar por las rendijas, a fin de arrancar las piedras incrustadas en el suelo de la cueva, nivelarlo y limar las cavidades de las paredes. Por las rendijas de la entrada se filtraban el aire y la luz, más o menos intensa según la posición del sol. Así y todo, la cueva no gozaba de buena ventilación y cuando el agua llenaba el túnel las paredes se cubrían de humedad y moho.

Más tarde, cuando el túnel se secaba, llenaban el santuario de maíz y frijoles, sal, azúcar, café, harina de maíz, velas y cerillas. También llevaban una jarra de barro llena de agua. Para mejorar la ventilación, el Tata cortó bambú del fondo de los barrancos y, con gran esfuerzo, introdujo las cañas por el lado más estrecho de la cueva hasta que asomaron por la ladera. Había dos hamacas suspendidas de ganchos clavados en la roca. Durante el día, las hamacas pendían inertes sobre la pared de la cueva. Por la noche, el Tata y Nicolás las extendían de pared a pared para mantenerse alejados del suelo y de insectos y lagartijas.

Nicolás se acercó a la cueva dando el rodeo de siempre, pues de qué servía una cueva secreta si una senda la marcaba. Cuando llegó a la entrada, rodeó la roca y encendió la linterna. Ayudándose con el machete, apartó las parras que ocultaban la boca de la cueva y se deslizó hasta el interior dirigiendo la luz al frente.

—*Blanca* —dijo, pues al entrar la cabra le había recibido con un balido.

SIETE

A compañado de la cabra, Nicolás llegó hasta el río a través del túnel. Buscó al Tata pero no halló ni rastro de él. Mientras la sedienta *Blanca* bebía, trepó por la colina y recogió su mochila. Sacó una tortilla rancia y se la ofreció a la cabra. Mientras esta la devoraba con placer, Nicolás sacó de la bolsa la estatua de la Virgen y la hundió en el agua tibia del río. Luego procedió a lavarla suavemente con el pulgar, procurando no dañarla, y cuando estuvo todo lo limpia que permitía su estado, la devolvió a la mochila.

El contacto con el agua le hizo percatarse de lo sudado y sucio que estaba, así que se quitó las botas y la ropa. Se metió en el río y utilizó las piedras planas del fondo para avanzar hacia aguas más profundas. Pronto le llegaron hasta la cintura, la altura máxima que alcanzaba el río en esa época del año. Se tendió boca arriba y se dejó mecer por la corriente. Arrullado por el sonido de las cigarras, contempló cómo las montañas y los árboles cambiaban de color a medida que el sol se ocultaba tras la colina. Bajo la luz amortiguada el paisaje parecía casi hermoso, las laderas lustrosas y cubiertas de vegetación, el cielo azul añil. El río también estaba hermoso, el agua lisa y plomiza, la orilla aguijarrada de un tono aún más intenso. Nicolás amaba el Sumpul. En la escuela, la señora Menjívar (que en paz descanse) les había señalado el río en un mapa para mostrar lo largo e importante que era. En algunos lugares, explicó, el Sumpul hacía de frontera entre El Salvador y Honduras. «Es un trabajo importante», añadió mientras su dedo marcaba diferentes puntos. La información no impresionó a Nicolás, pues era un concepto abstracto y, como tal, no le afectaba. Pero sí le afectaba el Sumpul que corría a un breve paseo de su casa. El Sumpul proporcionaba agua para beber y agua para bañarse. El Sumpul ofrecía peces. El Sumpul era el río de Nicolás, pero aunque lo amaba, había momentos en que también lo temía. Al anochecer, cuando daba mala suerte cruzarlo. Y en la profundidad de la noche, cuando, una vez que las miles de ranas elevaban su croar al unísono, la Ziguanaba podía aparecer. La Ziguanaba, la loca legendaria de los ojos feroces y el cabello largo y salvaje. La Ziguanaba, que había abandonado a su hijo pequeño y, por ello, fue condenada a vagar por la ribera del río en su busca. A veces, cuando yacía en su hamaca, Nicolás oía los lamentos de la mujer por encima de la cacofonía de las ranas. Pero, sobre todo, temía una incontrovertible verdad: si alguna vez se cruzaba en la ribera del río con la Ziguanaba, no podría luchar contra su risa maníaca ni su hechizo. Nada podría protegerle de la prisión de sus largos brazos. En un abrir y cerrar de ojos, y sin darle tiempo a escapar, ella lo convertiría en otra vieja trastornada.

Su madre siempre trataba de disipar sus miedos. Al pensar en ella, las lágrimas abrasaron los ojos de Nicolás. Antes de que pudiera evitarlo, dejó escapar un sollozo. Mamá, pronunció, pero sólo con el movimiento de los labios. Se tapó la nariz y hundió la cabeza en el agua para que el río se llevara las lágrimas y el llanto, y emergió de nuevo con una gran explosión de agua. En la orilla, la cabra fue tras una bota, así que Nicolás salió del río. Sacudiéndose el agua como *Capitán*, arrebató la bota a *Blanca*, que protestó con un balido. Luego se vistió, se secó los pies y se puso los calcetines y las botas.

—Vamos, *Blanca* —dijo—. Hay que buscarte forraje.

Era de noche y Nicolás estaba trajinando en la cocina. Había hecho un fuego bajo la parrilla que descansaba sobre las cuatro piedras del hogar. Recalentó el café que quedaba en la jarra y colocó las tortillas compradas esa misma mañana directamente sobre los rescoldos. Una vez calientes, las engulló junto con el queso y bebió un largo sorbo de café. Aunque había ordeñado a la cabra para blanquearlo y añadido un buen puñado de azúcar, el líquido estaba aún amargo y tuvo que escupirlo.

El fuego del hogar era la única fuente de luz, y Nicolás meditó sobre el paradero del Tata frente al parpadeo de las llamas. Pensó en su madre y en lo que debía hacer para encontrarla. Ahora conocía el apellido y la dirección de la familia para la que trabajaba. Había buscado en la cómoda la caja donde guardaba sus tesoros y las cartas de su madre. Dentro también encontró la libreta, los sobres y los sellos que ella le había comprado para que le escribiera. A fin de animarle, ella misma había escrito la dirección en uno de los sobres: «Leticia María Veras, a cargo de la Sra. Florencia de Salah, Altos Colonia Escalón, San Salvador.» También había pegado un sello de diez céntimos en una esquina. El sello mostraba la imagen de José Matías Delgado, padre fundador del país. Nicolás se mordió el interior del labio, castigándose por no haber utilizado nunca el sobre, sintiéndose culpable al imaginar a su madre esperando cada día la llegada del mismo.

Se levantó y cobró ánimo para hacer lo que tenía que hacer: trasladar sus cosas y la cabra a la cueva. En ausencia del Tata, resultaba más seguro pasar allí la noche. Para ello tendría que caminar por el sendero hasta el río. Rezó para que la Ziguanaba hubiera decidido descansar esa noche.

Nicolás iluminó la cueva con la linterna. *Blanca* se le había adelantado y estiraba el cuello hacia la bolsa de maíz guardada en uno de los entrantes de la pared. Nicolás traía un cubo lleno de agua. Lo dejó en el suelo y encendió una vela alta con las cerillas. La luz suavizó los contornos de la cueva y transformó el espacio en una gruta bendecida con el olor a tierra fresca y una intimidad profunda. Nicolás apagó la linterna porque, gracias a las reprimendas del Tata, era ahorrador con las pilas, que eran caras y difíciles de conseguir. Luego arrojó maíz al suelo para distraer a *Blanca* mientras la ataba.

Como les había protegido en el sendero y a lo largo del río, la Virgen Milagrosa necesitaba una atención especial. La colocó en la concavidad más próxima a la entrada. Era la más pequeña y casi parecía una hornacina. Como en la iglesia, pensó, y desplazó la estatuilla hasta asegurarse de que no se volcaría. Tomó la vela entre ambas manos y la depositó junto a la Virgen.

Desplegó la hamaca y la colgó. Con el machete cerca, se desplomó sobre la malla y, mecido por el madrigal de las ranas, se durmió.

Una voz despertó a Nicolás en medio de la noche. Sacudiéndose el sueño, alcanzó el machete y apoyó la empuñadura en el pecho.

En medio del silencio, y por encima de los latidos de su corazón, volvió a oír la voz: «Nicolás, no tengas miedo.»

Levantó la cabeza y miró la hornacina. Rayos de luz, delgados como los de la luna, brotaban de la mano derecha de la Virgen y de donde había estado la mano izquierda. Oyó nuevamente la voz: «No tengas miedo, Nicolás, yo también soy tu madre y estoy contigo.» Instantes después la luz se atenuó hasta desaparecer. Sólo permaneció la lumbre de la vela.

Nicolás esperó, la cabeza levantada y el oído atento, pero la voz suave y serena no volvió.

OCHO

Nicolás se frotó los ojos y bajó torpemente de la hamaca. La mañana formaba un halo en torno a la roca de la entrada. La vela se había consumido y la luz del día revelaba que el Tata no había vuelto. Para tranquilizarse, elaboró posibles motivos. El Tata no le esperaba. El Tata se había alejado río abajo más de lo habitual y decidió pasar la noche en casa de un vecino. Nicolás se decía esas cosas, pero lo cierto era que, en todos los años que llevaba en el rancho, no había habido un solo día en que el Tata no regresara a casa después de pescar.

Miró a la Virgen. Esa noche le había hablado. «No tengas miedo», había dicho con voz serena. De sus diminutas manos, la que conservaba y la que había perdido, salían rayos de luz. Él había visto esa luz, ¿o no?

Blanca estaba tirando de su cuerda en un intento de alcanzar la bolsa de maíz. Nicolás la soltó, recogió unos puñados de grano y los depositó en el suelo. También formó un montoncito más pequeño junto a Nuestra Señora. «Por si tienes hambre», le dijo. Esperó una respuesta, mas no la hubo y se sintió un idiota por creer que la estatuilla podía hablar. El brazo lastimado no era más que un trozo de madera cercenado a la altura del codo. El otro, aunque entero, sencillamente tenía forma de brazo con la mano abierta, nada más. Por ningún lado se veían rayos de luz. Estaba claro que lo había soñado, pero no por eso el consuelo era menor. Mientras dormía, la Virgen le había dado un consejo y él lo seguiría. No tendría miedo.

La caja con las cartas de su madre estaba donde la había dejado la noche anterior. Le recordó lo que debía hacer. Debía partir de inmediato y seguir su plan para encontrar a su madre. Abrió la caja y guardó una de las cartas en la mochila. Luego ocultó el estuche en la hornacina, junto a la estatua. Ella le iluminaría el camino que había de devolverle a su madre.

De repente oyó un ruido y al volverse vio a la cabra doblar la esquina que conducía al túnel. Se había comido el maíz y ahora se marchaba al río a beber. Nicolás se reprendió por haberla soltado. Ahora tendría que ir tras ella y darle caza antes de poder partir a la capital.

La cabra no estaba en el río. Cuando Nicolás salió del túnel, la vio subir por el sendero en dirección al rancho. Echó a correr mientras maldecía para sus adentros. Cuando llegó a la cima, comprendió qué había atraído a la cabra.

En el jardín había unos desconocidos. Portaban fusiles y llevaban el uniforme de las FLP, el ejército popular.

NUEVE

Nicolás echó a correr colina abajo. A medio camino del río tropezó y se deslizó sobre su trasero. El sendero estaba lleno de piedras y, por mucho que intentó frenar, el impulso le llevó casi hasta la orilla.

El sendero estaba flanqueado por pequeños árboles y arbustos, así que Nicolás rezó por que le hubieran ocultado; por que su descenso, aunque rápido, hubiera sido lo bastante silencioso para pasar inadvertido; por poder regresar a la cueva. Así habría ocurrido de no ser por el guerrillero que en ese momento asomó por la maleza, a unos pasos del río. Llevaba un fusil al hombro y se estaba subiendo la cremallera. Cuando vio a Nicolás, dio un brinco, pero enseguida se tranquilizó.

—¿Adónde vas, muchacho? —preguntó.

No era viejo. Debía de tener veintitantos años. Vestía una camisa de cuadros por fuera de los pantalones, y un sombrero caqui de ala ancha le cubría la cabeza.

—Me caí —respondió Nicolás sin moverse. Tenía las manos peladas y escocidas por el descenso.

—Tenías mucha prisa.

—Tropecé.

—¿Quién eres?

—Vivo aquí —dijo Nicolás. Se levantó lentamente con los brazos en alto, tal como el Tata le había enseñado.

—Si vives aquí, será mejor que vuelvas a subir. Pero esta vez camina con cuidado. —El guerrillero señaló el suelo con el fusil.

Nicolás procedió a subir con tiento, no tanto por el consejo recibido sino porque necesitaba unos minutos para pensar. Echó de menos el contacto del machete en la mano —aunque sólo fuera por la tranquilidad que le daba—, pero lo había dejado en la cueva, un lugar cuya existencia no podía revelar a unos desconocidos.

Capitán apareció por una esquina del rancho cuando Nicolás llegó al jardín y con un ladrido de reconocimiento corrió hacia él. Por un momento la presencia del perro le desconcertó, pero entonces comprendió y, gritando «¡Tata!», corrió hacia la casa.

Su abuelo estaba sentado en el banco, debajo del copinol. Al oír el grito de Nicolás, se levantó sobresaltado y fue hacia su nieto. Se fundieron en un abrazo. Nicolás notó el pecho cálido de su abuelo en la mejilla, pero no podía hablar. De sus labios sólo salían sollozos y no tenía fuerzas para reprimirlos. Dejó que las lágrimas cayeran y, al cabo de un rato, respiró larga y temblorosamente, sintiendo el alivio de la enorme mano del Tata sobre la coronilla.

—*Vaya, vaya, vaya**—le tranquilizó el Tata al ritmo de las palmadas de su mano.

Nicolás se enjugó las lágrimas. Ahora estaba con el Tata. El Tata, con su largo rostro del color del tamarindo. El Tata, con su gastada camisa azul tan suave como una sábana vieja. El Tata, con sus piernas zanquivanas asomando por los pantalones holgados y enrollados hasta las rodillas, una manía que repetía varias veces al día. El Tata, con sus pies morenos y callosos calzados en las sandalias hechas con neumáticos. Nicolás se agachó para rascar a *Capitán* detrás de las orejas. El animal agitaba la cola como un látigo y soltaba leves gruñidos de satisfacción.

* En español en el original. *(N. de la T.)*

—Ven —dijo el Tata.

Se encasquetó de nuevo el sombrero de paja y condujo a Nicolás hasta el banco. El guerrillero de la camisa a cuadros se había apostado en la entrada de la cocina. Otro guerrillero, este con un grueso bigote, estaba frente a la puerta del rancho. Un cigarrillo encendido le colgaba de los labios. Tenía el fusil en un costado. Uno y otro les vigilaban.

—¿Quiénes son? —susurró Nicolás.

No poseían un físico imponente, pero cualquier hombre en posesión de un fusil imponía.

El Tata contestó con otra pregunta.

—¿Qué haces aquí? Deberías estar con tu madre.

La inesperada pregunta confundió a Nicolás, que respondió con otra.

—Tata, ¿qué te ocurrió ayer?

Antes de que el abuelo pudiera contestar, una mujer corpulenta salió de la cocina. Nicolás pensó que le recordaba a alguien y comprendió que, por el tamaño, se parecía a la propietaria del local donde había comido en San Salvador. Pero esta mujer era bastante más joven. Vestía unos vaqueros gastados y unos calcetines gruesos doblados sobre unas botas de cordones. Un grueso cinturón le ceñía la cintura. Sobre el hombro portaba despreocupadamente un M-16. Se acercó con calma.

—Soy Dolores —dijo—. ¿Cómo te llamas? —Tendió una mano a Nicolás.

—Es mi nieto —dijo el Tata—. Es un buen chico, aunque me estoy preguntando qué hace aquí. Le mandé hace unos días con su madre a San Salvador.

—Nicolás. Me llamo Nicolás Veras. —Estrechó la mano de Dolores.

—No te esperaba —dijo el abuelo, obviamente interesado en el tema—. ¿Por qué volviste?

Nicolás hizo una pausa antes de responder. No quería hablar de la enigmática verdad sobre su madre, ahora no. Dijo lo primero que le vino a la cabeza.

—Oímos que habían bombardeado El Retorno. Tenía que volver. Tenía que asegurarme de que estabas bien.

—El ejército —dijo Dolores sacudiendo la cabeza—. ¿Pueden creer que elijan un lugar como El Retorno? —Soltó un resoplido de disgusto y añadió—: Nicolás Veras, te diré lo que le dije a tu abuelo antes: os agradecemos vuestra hospitalidad.

Nicolás miró al Tata en busca de una confirmación.

—Es la jefa —dijo este.

—¿La jefa? —preguntó Nicolás.

—Lo que oyes. Es la capitana —dijo el Tata—. La que manda aquí.

DIEZ

✎

Dolores se puso de cuclillas y los vaqueros se tensaron sobre sus gruesos muslos. El M-16 descansaba sobre ellos como un puente.

—Hay cosas que debes saber —dijo a Nicolás.

El hecho de que se dirigiera a él le desconcertó. Miró al Tata con la esperanza de hallar una explicación en sus ojos, pero el rostro de su abuelo no mostró emoción alguna. Nicolás interpretó su impasibilidad como una señal y adoptó un semblante igualmente inexpresivo.

Dolores hablaba con una voz acompasada, prudente, como la maestra, pensó Nicolás.

—Somos de las Fuerzas de Liberación Popular. Somos el ejército del pueblo y, como tal, un ejército formado por pobres. Actualmente, con la revolución todavía en pañales, somos pocos, pero cada día crecemos en número. Luchamos aquí, en las montañas de Chalatenango, y también al este, en el departamento de Morazán. Combatimos para erradicar la pobreza, la ignorancia y las enfermedades. Combatimos para defendernos del Ejército Nacional, la Guardia, el Orden y otras fuerzas represivas. Por ahora trabajamos en grupos pequeños, pero cada vez se nos une más gente para la gran lucha. Te lo digo para que sepas que somos fuertes. Que somos muchos más de los tres que ves aquí. Hay muchos como nosotros luchando por el pueblo.

—Yo no —le interrumpió el Tata—. Yo vivo aquí, en las montañas, bajo mis árboles. Nicolás y yo no nos metemos con nadie. No damos problemas.

—Pero, aun así, tienen problemas —replicó Dolores.

—¿Por qué? Nunca hicimos nada. Somos gente sencilla, gente del campo.

Nicolás escuchó la declaración de su abuelo y le llenó de orgullo que le incluyera en ella. Eran compañeros, él y el Tata. Estaban juntos, pasara lo que pasara.

Dolores señaló con una mano el rancho y su entorno.

—Este lugar es suyo, pero no lo será por mucho tiempo. Si nosotros no lo evitamos, un día el enemigo vendrá a arrebatárselo. El enemigo cortará sus árboles, se apoderará de sus campos de maíz y frijoles, de la pequeña parcela junto al río donde su sorgo crece. El enemigo quemará sus cosechas. El enemigo asará su cabra. —Señaló a *Blanca*, que mordisqueaba unos hierbajos bajo un zapote—. Al enemigo le encanta la carne de cabra, usted lo sabe. También de buey y de pollo. —Dolores se inclinó ligeramente, como si deseara hacer hincapié en algo—. Mire lo cerca que estuvieron. Hace dos días bombardearon El Retorno. Eso los mantendrá contentos durante un tiempo, sobre todo porque el bombardeo nos sacó de nuestra trinchera, pero puede estar seguro de que volverán por nosotros.

El hombre apostado en la entrada de la cocina asintió.

Nicolás escuchaba, inquieto por la imagen de *Blanca* girando en un asador.

—Si se ocultan en nuestra montaña —dijo el Tata—, atraerán al ejército.

—Vendrán de todos modos, y debemos estar preparados para ese día. En esta realidad cambiante —añadió Dolores— hacemos lo que debemos. Algunos hemos de sacrificarnos por el bien del resto.

—¿Van a esconderse aquí? —preguntó Nicolás, finalmente consciente del impacto de las palabras de Dolores.

Ella asintió.

—Viven en el lugar perfecto, en lo alto de la montaña, alejados de todo y ocultos bajo los árboles. Esta casa es difícil de alcanzar y fácil de defender. Algunos compañeros ya vienen de camino.

—¿Cuántos? —preguntó el Tata.

—Seremos unos veinte. Mi unidad y la del compañero que cayó durante el bombardeo de El Retorno. El primer grupo llegará a mediodía cargado de víveres.

—¿Quién les habló de nosotros? —preguntó el Nicolás.

—Eso, Nicolás Veras, no debe preocuparte. Son muchas las personas dispuestas a facilitarnos información. Es su contribución a la causa.

—¿Qué quieren de nosotros? —preguntó el Tata.

—Como ya dije, queremos su hospitalidad durante el tiempo que dure nuestra estancia aquí.

El rostro del Tata se endureció.

—¿Y si les negamos esa hospitalidad?

Dolores soltó una breve carcajada.

—Como es lógico, preferiríamos que nos la dieran voluntariamente, pero lo hagan o no, somos un grupo cabezota. Pueden marcharse, por supuesto, no les retendremos.

—Jamás abandonaré mi rancho —replicó el Tata.

—Una sabia decisión, don Tino. Los hay que aprovecharían la oportunidad para buscar al ejército y revelarles nuestro paradero. Pero ya conoce al ejército, don Tino. Para ellos, el mero hecho de que nosotros estemos aquí, ocupando su pequeño rancho, les convierte a ustedes en simpatizantes, ¿o no?

El Tata guardó silencio unos instantes. Luego dijo:

—¿Cuánto tiempo piensan quedarse?

Dolores contempló el jardín y se encogió de hombros.

—No mucho, pero el tiempo que haga falta. O hasta que el enemigo nos eche. —Se volvió de nuevo hacia el Tata—. Hasta entonces, necesitamos tiempo para reagruparnos y elaborar estrategias. Tenemos algunos heridos por el bombardeo. Necesitan cuidados y descanso. Crearemos una zona especial para poder atenderles. —Dolores se levantó y se colgó el fusil al hombro—. Tendremos que construir cobertizos. Esas habitaciones —señaló el rancho con la barbilla— las utilizaremos para operar cuando sea necesario.

El Tata se levantó para mirar a Dolores a los ojos.

—No puede operar aquí.

—¿Y por qué no?

—Es peligroso. El suelo es de tierra. Hay insectos y parásitos…

—Créame, don Tino —le interrumpió Dolores—, operamos a gente en peores condiciones. Como ya dije, construiremos cobertizos y catres para mantener a los heridos por encima del suelo. Para eso necesitaremos bambú. He visto que tiene mucho apilado detrás de la casa, don Tino.

Ahora le tocó al Tata asentir.

—Lo utilizaremos. Y también usaremos su cocina. Carmen, nuestra cocinera, viene de camino. Antes de que se dé cuenta, le habrá montado una auténtica cocina de campaña. Tortillas, arroz, frijoles. No le importa, ¿verdad? Ah, también café. Y no se preocupe, no nos comeremos su cabra. La ordeñaremos.

—Da buena leche —dijo Nicolás.

—Me alegra. Es justamente lo que necesita nuestro ejército, buenos productores y buenos trabajadores. Estoy segura de que eres un buen trabajador, Nicolás Veras. Pareces fuerte y calzas buenas botas. Buenas botas es lo que se necesita para el trabajo que hacemos. —Levantó un pie y luego otro para mostrar las suyas.

—¿Va a quitarme las botas? —preguntó alarmado Nicolás—. Me las regaló mi madre.

Dolores echó la cabeza atrás con una sonora carcajada.

—Puedes quedarte con tus botas, Nicolás Veras. Te irán muy bien para el trabajo que te espera. —Se volvió hacia sus muchachos—. Muy bien, chicos, echemos un vistazo al bambú.

Cuando el Tata y Nicolás se quedaron solos bajo el copinol, el Tata volvió a sentarse en el banco.

—¿Qué vamos a hacer? —preguntó Nicolás.

Quería añadir que tenía hambre. Debían de ser ya las ocho y no había tomado ni un vaso de agua.

Su abuelo sacudió la cabeza.

—Tendremos que esperar a que lleguen los otros y ver qué intenciones tienen.

—Ella dijo que iban a ponerme a trabajar.

—Nos pondrán a trabajar a los dos, de eso no hay duda.

—¿Qué crees que tendremos que hacer? —Nicolás se imaginó con un pañuelo ocultando su rostro. Se imaginó con un fusil en las manos. Se imaginó obligado a irrumpir en un lugar como la escuela. Se imaginó el ruido de las balas pitándole en los oídos, el olor a cordita después de cada disparo—. No quiero ser soldado.

El abuelo le dio una palmada tranquilizadora en el muslo.

—No seas bobo, sólo tienes nueve años. No te obligarán a ser soldado. Vamos a preparar el desayuno.

—Anoche dormí en la cueva. He de volver para recoger mi machete. Y *Blanca* necesita su maíz. —Buscó a la cabra con la mirada pero ya no estaba bajo el zapote—. ¿Adónde fue?

—Creo que se marchó con la capitana —dijo el Tata—. Probablemente está intentando separarla de los cordones de sus botas. En cuanto a tu cuchillo, tendrá que esperar. Por el momento no conviene que sepan lo de la cueva.

Entraron en la caseta de la cocina. Para Nicolás el lugar poseía ahora un aire ajeno, como si perteneciera a otra persona. Se imaginó el rancho ocupado por entero, su casa en manos de otras personas. El Tata procedió a hacer lo que hacía cada mañana: encender el fuego, moler granos de café y poner los frijoles a cocer en la olla de latón. Nicolás se concentró en sus labores de costumbre: mezcló la harina de maíz con agua e hizo la masa. Elaboró con ella tortillas y las extendió sobre la parrilla caliente. Trabajaban en silencio, pero el aire era denso. Nicolás estaba ensayando lo que diría cuando el Tata abordara de nuevo el asunto de su temprano regreso a El Retorno. Era sólo cuestión de tiempo. Pero fue el propio Nicolás quien, sin querer, sacó a relucir el tema.

—Ayer no viniste a casa, Tata. ¿Qué te ocurrió?

—Fui a pescar y me los encontré al volver —explicó el anciano—. O, mejor dicho, ellos me encontraron a mí.

—¿Dónde?

—Cerca de la cascada.

Nicolás conocía bien el lugar, el modo en que el río viraba a la izquierda y caía ligeramente para formar una línea de suaves saltos de agua. Solía sentarse en una roca especialmente lisa y dejar que el agua resbalara por él. Era una especie de ducha privada.

—¿Qué ocurrió cuando te vieron, Tata?

—Me preguntaron quién era y se lo dije. No tengo nada que ocultar. —La olla comenzó a hervir y desprendió un apetecible aroma a café—. Quizá no debí abrir la boca.

—¿Por qué? —Nicolás extendió otra tortilla sobre el comal y volvió las cuatro que ya se estaban tostando.

—Porque dijeron que yo era la persona que estaban buscando. Que se dirigían a nuestro rancho.

—¿Cómo es posible que lo conocieran?

—Ya oíste lo que dijo la mujer. Tienen sus fuentes.

La idea los sumió en un silencio que el abuelo finalmente rompió.

—¿Y tú? ¿Por qué regresaste? ¿Dónde está tu madre?

La verdad que Nicolás había contenido durante dos días pudo más que su determinación de no revelarla.

—Se armó un jaleo en la capital, durante el funeral de Monseñor.

—¿Qué quieres decir con un jaleo?

—Hubo bombas y disparos y la gente corrió en todas direcciones.

—¿Dónde está tu madre? ¿Qué le ocurrió?

—Nos separaron. Subí corriendo la escalinata mientras ella

entraba en la catedral, pero la policía no me dejó pasar. Tuve que buscar una puerta lateral...

—Espera, espera, más despacio. Cuéntame paso a paso lo que ocurrió.

—Está bien. —Nicolás respiró hondo, aspirando en el proceso el aroma a maíz de las tortillas que se asaban en el comal. Recordaba cada detalle de lo sucedido pero no tenía intención de contarlo todo. No podía. ¿Qué sentido tenía preocupar al Tata si, con el tiempo, todo se aclararía?—. Estábamos cerca del féretro de Monseñor. Entonces empezaron a oírse bombas y disparos. La gente empezó a correr. Yo me agaché y mamá me cubrió. Estuvimos así mucho rato. Cuando la cosa se tranquilizó, mamá entró en la catedral y en ese momento se formó una hilera de policías delante de la puerta. No me dejaron pasar, así que rodeé el edificio para buscar otra entrada. Cuando logré entrar, medio mundo estaba en la catedral. También había gente muerta. Busqué a mamá por todas partes pero no la encontré. Y ella no me encontró a mí.

—¿Estás diciendo que no volviste a verla?

—Eso estoy diciendo, pero no te preocupes. Regresó a casa de la niña Flor. Por eso estoy aquí. Vine a buscar la dirección.

El perro les había seguido y un largo gruñido tronó en su garganta. Nicolás se volvió y vio a Dolores y sus soldados cruzar el jardín. Sujetó a *Capitán* por el collarín.

—Tranquilo, chucho —dijo.

—Tortillas y café —dijo Dolores al entrar—. El alimento sagrado del pueblo.

ONCE

El ejército de Dolores arribó en torno al mediodía: hombres, mujeres y tres niños que pertenecían a la cocinera y la enfermera. El distintivo común eran las gorras de lona. Cada uno hacía de su propio animal de carga. Sobre espaldas y cabezas cargaban cubas y cajas de cartón repletas de víveres: harina de maíz, manteca, leche en polvo, frijoles, arroz, azúcar, maíz, sal, café, cubitos de caldo Maggi, cucharas de mango largo y cuchillos de cocina. También acarreaban material médico: aspirinas, vitaminas, pastillas y polvos antidiarreicos, sulfato ferroso, antiácidos, penicilina, alcohol, peróxido de hidrógeno, guantes de goma, vendas, esparadrapo, algodón, esponjas, tubos para tratamientos intravenosos, agujas y jeringuillas.

Por el terreno escabroso y empinado dos hombres arrastraban cuatro sacos repletos de cocos, pues su agua proporcionaba el líquido estéril para la hidratación intravenosa. Félix, el médico jefe, portaba su propio equipo quirúrgico: tijeras, grapas, objetos de sutura, hemóstatos, pinzas, lancetas y escalpelos. Dentro también iban los preciados analgésicos, narcóticos y frasquitos de anestesia. Llevaban baterías de diferentes clases, una radio de onda corta, un generador Kohler de dos kilovatios y varias latas de cinco galones llenas de gasolina. También cargaban con cuerda de henequén, cajas de cerillas, pólvora, municiones, cigarrillos y una guitarra destartalada. Salvo los niños, todos llevaban una mochila a la espalda y los hombres, además, machetes. Del grupo, sólo diez iban armados con fusiles: siete M-16 y tres AK-47, armas de origen estadounidense y soviético obtenidas de las manos muertas de miembros de la Guardia, del asalto a almacenes militares y del contrabando procedente de Nicaragua. Lidia, una guerrillera de dieciocho años, mostraba una barriga que sobresalía como el fondo de un enorme cuenco.

También trasportaban a sus heridos. Eran cinco y viajaban en las «ambulancias del pueblo», unas hamacas suspendidas de ramas rígidas que descansaban sobre los hombros de los más fuertes. Estos tenían como principal tarea evitar que sus pasajeros chocaran con los árboles y las piedras del camino.

Así era como, sin excepción, las guerrillas cargaban con el peso de su lucha. Y en sus corazones llevaban la esperanza de que lo que hacían les daría un mañana muy diferente de la realidad que soportaban hoy.

Nicolás contemplaba la escena que se desarrollaba a su alrededor. Estaba sentado bajo el copinol con las piernas dobladas sobre el pecho a fin de molestar lo menos posible. Tenía a *Capitán* atado al tronco del árbol para evitar que atacara. *Blanca* era otra historia. La cabra vagaba de grupo en grupo, metiendo las narices en lo que le interesaba, que al parecer era todo.

Nicolás había pasado la mañana arrancando ramas para una nueva construcción y estaba agotado. Antes del trabajo, con la excusa de vaciar sus intestinos, había trepado por la colina situada detrás del rancho y entrado en la cueva por el lado de la roca para recuperar su machete. Ahora descansaba entre sus rodillas y su pecho. No perdía de vista al Tata, que entraba y salía del rancho siguiendo al médico y a Dolores mientras estos colocaban las cosas donde mejor les convenía.

La invasión se había producido apenas una hora antes y la central eléctrica ya funcionaba. Ensartaron tomas con bombillas de cien vatios y los cables colgaban de las vigas de la ha-

bitación para iluminar el campo de operaciones. La cocinera
—de nombre Carmen— no había perdido el tiempo. Nicolás podía ver, desde su posición, la cocina, los rescoldos can-
dentes bajo las ollas de frijoles y café, la parrilla cubierta de
tortillas. Podía oír las manos de Carmen dando enérgicas palmadas para lograr una masa plana y redonda. Podía oírla hablar con voz firme a sus hijas, dos niñas pequeñas con el pelo
recogido en dos coletas y las piernas y los brazos mugrientos.

—Tumbaos ahí a descansar —les dijo, señalando con el
codo un espacio libre junto a la pared.

Nadie más descansaba. Alguien buscaba en la radio la emisora rebelde. Un grupo instalaba un transmisor de onda corta viejo y oxidado. Otros transportaban bambú al jardín para
construir, con cuerda entretejida, catres rudimentarios. En
cuanto terminaban uno, un herido lo ocupaba.

La cabeza de Nicolás daba vueltas con tanto alboroto y actividad. Las órdenes urgentes. Los gritos de ánimo, los marti-
lleos y hachazos. El olor húmedo de la madera recién corta-
da. Nunca este lugar había acogido a tanta gente. Nicolás
estaba dividido entre la novedad de la situación y quien la
proporcionaba. Un niño pequeño se acercó y se sentó a su
lado pero lejos de *Capitán*. Olía a almizcle, como las alas de
mariposa. Vestía unos pantalones cortos azules y un camisa
de color canela con galones naranja en los hombros. Calzaba
chancletas de goma. El pequeño dobló las rodillas contra el
pecho para imitar la postura de Nicolás y adelantó la cabeza
para echar una ojeada al perro.

—¿Es malo? —preguntó—. ¿Muerde?

Nicolás asintió a ambas preguntas y el niño echó rápidamente la cabeza hacia atrás. Nicolás lamentó haberle asustado
de ese modo.

—Se llama *Capitán* —dijo para arreglarlo.

El niño asintió.

—¿Y cómo te llamas tú? —preguntó Nicolás.

—Mario.

—¿Cuántos años tienes, Mario?

El niño levantó tres dedos sucios, luego bajó dos y utilizó el índice para señalar el rancho.

—Esa es mi mamá.

Se refería a la enfermera, que en ese momento estaba colocando la mesa verde del Tata bajo la luz de una bombilla suspendida del techo. Cubrió la mesa con una sábana que lucía un estampado de rosas descoloridas. La mujer colgó sobre la mesa una bolsa de plástico con un líquido ambarino dentro. Acto seguido entró el médico vestido con una bata que en otros tiempos había sido blanca. Se colocó una mascarilla sobre la boca y la nariz y se la ató detrás de la cabeza. La enfermera hizo un gesto dirigido al jardín y dos guerrilleros entraron con una hamaca donde yacía uno de los heridos. Parecía inconsciente. Lo subieron a la mesa.

—Van a abrirle —dijo Mario como si tal cosa.

Nicolás comprobó que era cierto. Podía ver el brazo del hombre extendido sobre la tabla que la enfermera le había puesto debajo. Ella también llevaba mascarilla. Se inclinó sobre el brazo. El doctor agarró algo metálico y recorrió la barriga del hombre con la punta. Nicolás desvió la mirada.

—¿Quién es tu mamá? —preguntó Mario.

—¿Qué?

—¿Quién es tu mamá?

—No está aquí —dijo Nicolás.

Habían pasado dos días. ¿Qué estaba haciendo su madre? ¿Estaba ocupada en sus labores, dedicada a las hijas de la niña Flor? De repente le asaltó otra pregunta que le hizo dar un respingo. ¿Por qué no había venido su madre a buscarle? Después de todo, no sólo era él quien la echaba de menos. ¿No le echaba de menos ella a él? Tuvo otra idea aún más impactante. Controles. Tal vez su madre sí había venido a buscarle. Tal vez era un control de carretera lo que había impedido el encuentro.

—¿Dónde está tu mamá? —preguntó Mario.

—Muy lejos.

El hombre de la radio finalmente sintonizó la emisora que

buscaba. La radio rebelde tronó con estrépito. El reportero estaba describiendo el funeral del monseñor Romero. Hablaba de las bombas, los disparos, la estampida. Dijo que más de cuarenta mil zapatos sueltos cubrían la plaza. Dijo que algunos oportunistas los habían recogido e instalado puestos para venderlos.

El Tata salió del segundo cuarto del rancho. Llevaba una pila de ropa apretada contra el pecho. Se acercó a Nicolás.

—Son las cosas de la cómoda. La necesitan para guardar su material.

Nicolás deseó poder apagar la radio antes de que su abuelo pudiera oír las noticias y empezara a hacer más preguntas.

—Dolores sabe lo de la cueva —dijo el Tata—. Ignoro cómo lo averiguó, pero lo sabe. —Entregó la ropa a su nieto.

Nicolás bajó las piernas y colocó sobre ellas sus otros vaqueros, dos camisas, la camiseta con el dibujo del toro embistiendo, los dos pares de calcetines y los dos calzoncillos. Era todo su vestuario, escaso porque el año anterior había dado un estirón extraordinario. Su madre pensaba renovarlo durante la estancia de Nicolás en San Salvador.

La radio seguía disparando noticias. «Durante el funeral de monseñor Romero, treinta y cinco personas fallecieron en la plaza. Hubo cuatrocientos cincuenta heridos entre hombres, mujeres y niños.»

—¿Oíste eso? —dijo cl Tata.

Se acercó a la radio, como si su proximidad pudiera ayudarle a comprender el desastre. Nicolás permanecio bajo el árbol. No podía hacer nada. Lo que traían las ondas radiofónicas amenazaban con volver real lo que él estaba esforzándose por negar. Se volvió hacia el rancho, hacia el herido que yacía sobre la mesa. Su pierna derecha sufrió una sacudida. Para tranquilizarle, la enfermera le posó una mano suave sobre el muslo.

Después del almuerzo (sopa de frijoles con pitos, arroz, tortillas y café), la gente se permitió un descanso. Generalmente, a esta hora del día el Tata se tumbaba en la hamaca para echar una cabezada, pero hoy él, Nicolás y también Mario se sentaron en la orilla del río. *Capitán* ya se había acostumbrado a la presencia de los forasteros y estaba repantigado sobre la arena. Aunque era demasiado pronto para pescar, Tata se había traído su cordel con un gancho atado a un extremo. Dejaba que la corriente lo arrastrara para luego recuperarlo y echarlo de nuevo. Había otras personas en el río. Un guerrillero, el del bigote, estaba sentado bajo un árbol fumando un cigarrillo. Tenía el fusil cruzado sobre el regazo y parecía absorto. La madre de Mario (se llamaba Rosario y tenía dos dientes de oro) estaba dentro del río con el agua hasta las rodillas, lavando la sábana de rosas descoloridas. La mojaba, hacía un rodillo con ella y la golpeaba con fuerza contra una roca.

—Tienes que regresar a San Salvador —dijo el Tata—. Le conté a Dolores lo ocurrido. Ella también opina que deberías volver con tu madre.

—¿No podemos ir los dos, Tata?

—Sabes que debo quedarme.

Nicolás fijó la mirada en la margen opuesta del río. Con la punta del machete hizo pequeños surcos en la tierra.

—Saldrás mañana para Tejutla —explicó el Tata—. Dolores enviará a dos hombres contigo y se asegurarán de que subas a un autobús.

—¿Por qué Tejutla? —Nunca había estado en Tejutla, pero en la escuela había visto el punto rojo que la señalaba como capital del municipio en el enorme mapa de la maestra.

—Hay alguien allí a quien los hombres han de ver. —El anciano tiró del cordel. El gancho parecía haberse atascado entre las piedras del río—. Dolores también dijo que esta noche deberíamos dormir en la cueva.

—¿Tienes una cueva? —preguntó Mario.

Nicolás ignoró al muchacho. Estaba pensando en el viaje. Recordó la ruta detallada en el mapa de la escuela. Durante un tiempo seguirían el río, luego girarían al sur y pasarían por las localidades de Cuevitas y San Francisco Morán. ¿Qué sorpresas le depararían esos lugares?

—Salvé a la Virgen de la iglesia —dijo, pues le asaltó el miedo, y con este el recuerdo de Nuestra Señora—. Bombardearon la iglesia de El Retorno. Encontré la estatua entre los escombros.

—Estoy seguro de que la Virgen te está muy agradecida —dijo su abuelo.

—Lo está. —Nicolás no dijo más. No sabía si el Tata creería que Nuestra Señora le había hablado—. La deposité en la cueva, en el hueco que hay junto a la entrada.

—Quiero ir a tu cueva —dijo Mario—. Me gustan las cuevas. La gente mala no puede encontrarte si te escondes en una cueva.

Esa noche, la Virgen habló de nuevo. Los rayos que proyectaban sus manos despertaron a Nicolás. La hornacina resplandecía. Nicolás miró en derredor. El Tata estaba acurrucado en su hamaca, roncando suavemente. *Capitán* dormía como un tronco a su lado. Mario yacía sobre un petate cerca de la roca de la entrada. Ninguno de ellos se despertó. Ninguno oyó nada.

—El cordero, Nicolás —dijo la Virgen—. Adopta la naturaleza del cordero y avanza sin miedo.

DOCE

❧

Gerardo y Elías partieron con Nicolás en el viaje de regreso a su madre. Salieron del rancho justo antes del mediodía para poder llegar a Tejutla al anochecer y reunirse con un tal señor Alvarado.

Alvarado trabajaba de técnico anestesista en el centro de salud de Tejutla. Había enviado al rancho el mensaje de que acababa de recibir una nueva remesa de sangre de la capital. Gerardo y Elías debían ir a su casa a fin de recoger las unidades que el técnico había «requisado» de la enfermería. También debían encontrarse con un voluntario gringo, conocido simplemente como doctor Eddy, que venía de Guatemala para ofrecer sus servicios. El médico viajaba bajo los auspicios del centro de salud. Este patrocinio, organizado por amigos de Alvarado, pretendía proporcionarle una tapadera durante sus viajes en autobús. Una vez en Tejutla tenía que reunirse con Gerardo y Elías, que le conducirían hasta el rancho. Se quedaría con ellos únicamente lo suficiente para convertir a algunos soldados en médicos, y echaría una mano a Félix con los heridos.

El trío siguió el Sumpul hacia el este utilizando los arbustos y los árboles para ocultarse. Gerardo vestía, como siempre, su camisa a cuadros y una gorra raída. Elías se levantaba continuamente su gorra para volvérsela a poner al instante. Les se-

77

guía frotándose nerviosamente el frondoso bigote. Los hombres portaban sendos AK-47 y machetes. Nicolás llevaba su cuchillo colgado de la cintura con una correa de piel atada a la muñeca. El sobre de su madre, la dirección escrita con firme letra, viajaba en el bolsillo de sus tejanos. En la mochila llevaba la pequeña navaja, la linterna y el almuerzo que le había preparado Carmen. También había guardado el zapato de su madre y la estatua de la Virgen, y el saberse en compañía de esta tranquilizaba su angustiado corazón. Aunque la última instrucción de la Virgen le había dejado atónito, estaba decidido a seguirla, así que se imaginaba como un cordero con el brazo de Jesús sobre su cuello lanudo.

Se mantenían alejados de las carreteras, Gerardo en cabeza y Elías en la cola. Avanzaban en zigzag, creando un sendero propio mientras Gerardo cortaba la vegetación salvaje. Nicolás medía sus pasos al ritmo de la sonora respiración de Gerardo y el ruido del machete. Sostenía un brazo en alto para evitar que las ramas le rebotaran en la cara. Elías le seguía con sigilo. El aire, denso y caliente, abría los poros y les humedecía los pantalones y las camisas. Nicolás mantenía la mirada clavada en la mochila de Gerardo, como si siguiera una señal. La cadencia de su paso uniforme y seguro le sosegaba, y durante ese avance hipnótico tuvo visiones de su madre, de la expresión de su cara cuando él apareciera por la puerta. No se quedaría mucho tiempo con ella. Era una decisión propia. Dos días en la capital y luego regresaría junto a su abuelo, que le necesitaba para ayudarle a recordar a los guerrilleros de quién era el rancho.

Un hedor a carne putrefacta llegó del río.

—Un tacuacín muerto —dijo Gerardo, porque en la zona abundaba este animal.

Nicolás se cubrió la nariz con una mano y contuvo la respiración.

—Echaré un vistazo —dijo Elías.

Nicolás le oyó bajar por la breve pendiente hacia el río. Al poco rato estaba de vuelta.

—No era un tacuacín —dijo, en consonancia con su estilo lacónico.

Sabedores de que la guerra colocaba cadáveres en lugares inesperados, ni Nicolás ni Gerardo pidieron más detalles.

Se detuvieron para almorzar al atardecer. Después, Gerardo les llevó hasta una aldea de las afueras de Tejutla formada por un camino de tierra y siete casas de adobe dispuestas en fila. Cada una se apoyaba en su vecina. Unos cuantos árboles llenaban el horizonte que se extendía detrás de las construcciones. Sobre un trozo de muro podía leerse en rojo: «Revolución o Muerte.»

—Mi madre vive en la casa del medio —dijo Gerardo, señalando al frente—. Es la dueña de la tienda. —Mientras los otros miraban aprensivamente alrededor, él echó a andar por el camino con paso firme—. Tranquilo, es un lugar seguro —dijo por encima del hombro.

Nicolás comprendió que Gerardo lo decía por su desconfianza. El lugar, silencioso y solitario, le recordaba a lo que había encontrado en El Retorno hacía... ¿cuánto?, ¿tres días?

Gerardo se detuvo frente a la puerta abierta de la cuarta casa.

—¡Mamá! ¡Mamá! —gritó como una oveja llamando a su madre.

Dos perros procedentes de casas vecinas se acercaron corriendo y Gerardo los espantó a puntapiés. Al momento dos mujeres asomaron la cabeza por sus respectivos portales. Al ver quién había en la calle, llamaron a los chuchos pero permanecieron donde estaban, con los brazos doblados sobre la barriga, para ver qué ocurría.

Gerardo entró en la casa dando otro grito. Del interior salió un alboroto de voces. Nicolás y Elías aguardaron fuera, respetando las exclamaciones y los sollozos que acompañaban las palabras tiernas de la madre.

—Oh, hijo mío. Mi pequeño, mi rey.

—Llevaba dos años sin aparecer por casa —explicó Elías a Nicolás.

Gerardo asomó por la puerta y les indicó que entraran.

—¡Adelante, adelante! —dijo la madre, la niña Tencha, detrás de su hijo.

Era una mujer alta, de piel oscura y apergaminada. Un pañuelo blanco atado al mentón le cubría la cabeza con el borde extendido sobre la frente y remetido detrás de las orejas. Llevaba puesto un vestido verde con un estampado de flores minúsculas.

—No tengan vergüenza —dijo, invitándoles a pasar. Agarró una esquina del delantal y se enjugó las lágrimas.

La casa olía a manteca derretida, cera y tierra. El suelo de la única estancia que conformaba la casa estaba tan aplastado que resbalaba. Un somier de muelles sin colchón, una silla y una cómoda descansaban contra una pared. La superficie de la cómoda estaba abarrotada de velas encendidas, estatuas primitivas, imágenes de santos y un crucifijo con basa. De la pared colgaban calendarios caducados con más imágenes de santos y algunas fotografías de familia. Todo ello rodeado de guirnaldas de rosas de papel tan ennegregidas por el hollín como las paredes.

En otro lado de la habitación estaba el negocio de la mujer: una caja de cristal tan rayada y sucia que casi impedía distinguir el contenido. Nicolás reconoció algunos artículos por su tamaño y forma: cigarrillos Embajadores, cajas de cerillas, velas, caramelos envueltos en papelitos encerados, cucuruchos de lo que podría ser café, azúcar y harina de maíz. En la pared había tres estantes con más productos. Cerca de la puerta zumbaba diligentemente una nevera de coca-cola, enchufada a la instalación del techo, una proeza que exigía tres alargaderas suspendidas de los pares mediante clavos doblados. La niña Tencha levantó la tapa de la nevera y les ofreció un refresco.

Cuando le llegó el turno, Nicolás hundió el brazo en el agua fría (era eso y no hielo) y lo paseó para refrescarse. Como los demás, capturó una botella, la destapó y engulló el líquido dulce y efervescente. De pie en medio de la habitación, con sus mochilas, machetes y fusiles, eructaron suavemente cubriéndose la boca con una mano.

Se sentaron fuera, bajo un amplio soportal que abarcaba la parte posterior de todas las casas, con vistas a un puñado de árboles polvorientos y una colina pelada que, por el olor que desprendía, parecía ocultar la letrina.

—Estaba avivando el fuego —dijo la niña Tencha señalando las piedras del hogar cubiertas con una plancha de barro—. Voy a freír un pollo para celebrar tu visita —anunció.

—No podemos quedarnos, mamá —dijo Gerardo. Tenía la gorra sobre el regazo, la mochila en el suelo y el rifle y el machete apoyados contra el muslo—. Tenemos que ir a Tejutla.

—De eso nada —espetó la madre—. ¿Cuánto hace que no comes pollo frito? La gallina estuvo esperando a que mi hijo regresara a casa.

Nicolás ya podía oler el pollo friéndose en la sartén. Intentó calcular el tiempo que tardaría en cazarlo y retorcerle el pescuezo, y cuánto tardaría la mujer en desplumarlo, trocearlo y freírlo.

—Hace mucho que no como pollo —dijo Elías—. No me importaría comerme uno.

—¿Lo ves? —dijo la mujer. Se volvió hacia Nicolás—. Chelito, atrapa a la gallina. Anda por ahí arriba, en la colina. La negra y moteada.

Nicolás persiguió a la gallina durante diez minutos. Como si supiera que le había llegado la hora, en cuanto sintió la sombra de Nicolás sobre su cabeza empezó a cacarear y echó a correr colina arriba con un cómico balanceo. Nicolás reía mientras el animal le llevaba hasta la puerta trasera de un vecino (perdón, perdón), por el interior de la casa (una habitación idéntica a la de la niña Tencha), a través de la puerta principal y hasta la calle. El perro descarnado que allí vivía estaba despatarrado bajo una hamaca, pero cuando la gallina pasó a todo correr, las plumas erizadas de pánico, se sumó a la persecución. Nicolás atrapó a la gallina cuando esta frenó para doblar una esquina. La agarró y la estrujó con el brazo hasta retorcerle el pescuezo.

La niña Tencha tardó menos de cuarenta minutos en echar la gallina a la sartén. Mientras esta se freía, iba de un lado a otro haciendo tortillas, frijoles y café sin dejar de hablar. Cual penitentes, Gerardo, Elías y Nicolás, sentados en las sillitas colocadas en fila, escuchaban la homilía.

—La verdad es que por aquí las cosas ya no son como antes. No sé qué sucedió. El mundo se volvió loco. Ni siquiera puedes acercarte ya a la ciudad sin temer por tu vida. ¿Y de qué sirven los hijos? Una tiene hijos y se cree protegida. Cuatro hombres tengo. Y dos muchachas. Una los trae al mundo, retorciéndose de dolor, y piensa que crecerán para protegerla. Sobre todo los hombres. Pero no. Mira a tu hermano Pedro. Huyó a las montañas poco después de marcharte tú. No le he visto desde entonces. Al menos tú estás aquí y puedo ver que estás bien. Es más de lo que puedo decir de tu hermano. A saber dónde está mi Pedro. ¿Te acuerdas de lo que pasó? Se metió en la UTC y empezó a ir a esas reuniones cuando le dije que no lo hiciera. Es peligroso, le dije. Pero él respondió: «Ay, mamá, te inquietas por nada.» Como si eso pudiera calmar mi corazón. Poco después la Guardia echó la puerta abajo y Pedro huyó a las montañas.

»¿Le viste allá arriba? No, no me lo digas. Sé que sois gente muy reservada. Y en cualquier caso no quiero saberlo. Mejor para mí no saberlo. Tu hermano Tono es otra historia. Fue a la capital, a la escuela militar. Volvió hace poco. Apareció en la puerta con una ancha sonrisa, un uniforme y unas botas. "Hijo", le dije, "¿qué te pasó?". Y él respondió: "Soy soldado, mamá." Tuve que volver la cabeza para que no me viera llorar. Dios santo, somos una familia dividida, eso es lo que somos. Tú y Pedro. Tono y Juan. Sabes lo de Juan, ¿verdad? A lo mejor no. Estuviste fuera tanto tiempo. Juan miró el uniforme de Tono, las botas, y ahí que se fue a la capital. Ahora tiene botas propias. También un uniforme y un fusil. Pero ese no vino a presumir. De vez en cuando un vecino me dice: "Vi a tu hijo Juan. Está muy guapo con su uniforme." Entonces me pongo a pensar. Tengo cuatro hijos y todos soldados. ¿Cómo es posible? *Ay, Dios santo**.

»¿Te enteraste de lo de Nadia? Mi preciosa niña. De cinco meses y así de gorda. Las fuerzas de seguridad le tendieron una emboscada en la carretera. Una vecina corrió a decirme: "Nadia está allá arriba." Y por la forma en que lo dijo, sin poder levantar los ojos, supe que la noticia no podía ser buena. El caso es que la rajaron. Los hijos de puta la rajaron de arriba abajo. No les bastó con matarla como a un puerco, no. Tuvieron que abrirla y arrancarle el bebé. Lo dejaron tendido en la carretera. Un fardo de sangre. Un varón, lo vi con mis propios ojos. Tenía la tilila así de grande. En fin, probablemente fue lo mejor. ¿Pa' qué traer otro niño al mundo? ¿Pa' que se haga del ejército? ¿Pa' que se vaya a las montañas? *Ay, Virgen santa**.

»Ya sólo me queda Margarita. Trabaja en Tejutla. Viene a verme cada dos o tres semanas. También te tengo a ti, es cierto, pero hacía dos años que no te veía. ¿Sabes que tu hermana ya tiene dieciséis? Toda una señorita. Y muy bonita. Ay, pero ¿de qué le sirve ser bonita? Eso sólo te hace un bebé en la barriga. Un bebé lleno de sangre echado a la carretera.

* En español en el original. *(N. de la T.)*

TRECE

La casa del señor Alvarado se divisaba desde los árboles. Reconocieron la fachada porque estaba pintada de lila. Así se la habían descrito, como la casa lila. Gerardo, Elías y Nicolás salieron sigilosos como pumas de debajo de un grupo de olivos, donde habían aguardado a que anocheciera. Para disimular su perfil, los hombres ocultaban la culata de sus respectivos fusiles bajo la axila, con el cañón apretado contra el costado. La temperatura había descendido al mismo tiempo que la luz, pero todavía hacía calor. La farola de la esquina iluminaba el centro de la calle. A través de las ventanas abiertas y por encima de los muros de los patios les llegaba olor a pimientos, cebollas y tomates, a carne asándose sobre rescoldos. Una radio próxima ofrecía una balada: «Ay, amor, no me quieras tanto.»

Una vez frente al portal de Alvarado, Gerardo miró a un lado y otro de la calle y dejó caer la aldaba de hierro con un suave *pam*. La puerta cedió al instante, como si la persona que la franqueaba, un hombre maduro y fornido sin pelo en la coronilla pero con dos cejas como dos gusanos de lana, llevara esperando allí todo el día. Intercambiaron unas palabras que Nicolás no alcanzó a oír, pero eso les granjeó la entrada.

Cruzaron un patio de cemento y una segunda puerta que daba a la casa propiamente dicha. Dos lámparas iluminaban un salón-comedor. Alvarado les condujo hasta una mesa. Gerardo y Elías dejaron las mochilas en el suelo, apoyaron los fusiles y machetes contra la pared y acercaron unas sillas. Tras un largo suspiro, Elías encendió un cigarrillo. Un cuenco repleto de fruta de piel lustrosa ocupaba el centro de la mesa. Nicolás pensó que eran mandarinas, pero nunca había tenido la suerte de probarlas. Aunque había cuatro sillas, dejó la mesa para los adultos. Puso sus cosas en el suelo y se sentó en una silla, junto a una nevera adosada a la pared. El señor Alvarado les preguntó si tenían sed. Sin darles tiempo a contestar, abrió la nevera y revolvió los estantes hasta sacar dos cervezas y una coca-cola. Nicolás sintió una ráfaga de aire frío procedente de la nevera. Observó que los estantes estaban llenos de frascos y botellas. Un líquido de aspecto herrumbroso llenaba un montón de bolsas de plástico.

—¿Quién es este muchacho? —preguntó Alvarado a los hombres mientras tendía la coca-cola a Nicolás.

—Vive en las montañas. Vamos a dejarle en el autobús. —Gerardo bebió un gran sorbo de su cerveza y su nuez se movió con fuerza.

—¿Para dónde?

—Para San Salvador.

—No será esta noche —dijo Alvarado—. Volaron el puente de la presa.

—¿Cuándo? —preguntó Elías mientras el humo del cigarrillo salía sinuosamente de sus fosas nasales.

—Esta mañana. Hay controles de carretera en Las Cañas e incluso en Chalatenango. —Alvarado dejó su botella sobre la mesa con un golpe seco—. No se sabe cuándo volverán a dejar pasar los autobuses.

Al oír eso, Nicolás tuvo la sensación de que se quedaba sin aire. De repente perdió la sed y dejó la botella en el suelo.

—¿Qué pasará con el gringo? —preguntó Gerardo—. ¿El doctor Eddy?

—Viene de Honduras —explicó Alvarado—. El autobús de La Palma no tendrá problemas. Si todo va bien, estará aquí dentro de una hora.

—¿Qué voy a hacer? —preguntó Nicolás, sorprendido de pronunciar en voz alta el asunto que le inquietaba.

—Parece que por ahora no irás a ningún sitio —respondió Gerardo.

—Pero mi madre… —Nicolás notó que el labio inferior empezaba a temblarle. En un esfuerzo por controlarse, calló.

—¿Qué le pasa a tu madre? —preguntó Alvarado dirigiéndose a Nicolás por primera vez.

—Mi mamá… —Era inútil. No podía continuar. Las lágrimas brotaron de sus ojos. Nicolás hundió la barbilla en el pecho.

—Su madre estaba en el jaleo que se armó durante el funeral de Monseñor —explicó Gerardo—. El muchacho también. Los separaron y no volvieron a encontrarse, así que él regresó a la casa de su abuelo, que es donde acampa nuestra gente. Ahora quiere volver a la capital para buscar a su madre.

Nicolás escuchó la explicación de Gerardo. ¿Alguna vez tendría sentido lo sucedido en la catedral?

—Acércate —dijo Alvarado.

Nicolás levantó la cabeza para asegurarse de que el hombre se dirigía a él.

—¿Yo? —preguntó.

—Sí, tú. Ven aquí. —Alvarado apartó de la mesa la última silla—. Siéntate aquí. —Sus dedos parecían salchichas y golpeó el asiento con uno de ellos.

Nicolás obedeció.

—¿Dónde vive tu madre?

Nicolás extrajo el sobre donde su madre había escrito la dirección con un lápiz de punta gruesa. Estaba húmedo y arrugado. Lo colocó sobre la mesa y lo alisó con una mano.

—Trabaja aquí.

Alvarado examinó el sobre.

—¿Qué hace?

—Trabaja de criada en casa de la niña Flor.

—Comprendo. —El hombre arrugó la frente y sus frondosas cejas se unieron.

Nicolás se atrevió a interrumpir su reflexión.

—Quiero subir al autobús e ir a casa de la niña Flor. Quiero ver a mi madre. Así sabrá que estoy bien.

—No me cabe duda de que tu madre está preocupada por ti —dijo Alvarado.

Nicolás asintió.

—Sí que lo está.

—En ese caso, ¿por qué no le escribes una carta y le cuentas que estás bien?

—¿Una carta?

—Sí. Ya tienes el sobre listo para enviar. Sólo necesitas una hoja de papel y un lápiz para poder escribirle una nota.

—¿Escribirle una nota? —Qué idea tan estupenda. No se le había pasado por la cabeza.

Alvarado se levantó y caminó hasta un pequeño escritorio. Abrió un cajón y rebuscó en su interior. Luego regresó a la mesa con lo necesario.

—Aquí tienes —dijo, mientras dejaba papel y lápiz sobre la mesa—. Escribe a tu madre.

Nicolás enderezó la espalda. Era como si estuviera en la escuela y la señora Menjívar (que en paz descanse) le hubiese puesto deberes. Se frotó la mano contra la tela de los tejanos para secarse el sudor. Agrupó los dedos en torno al lápiz y clavó la punta en el papel. Notó el extremo de la lengua deslizarse entre sus labios, señal de que estaba preparado. «Querida mamá», escribió con letras mayúsculas inclinadas, algo que no podía controlar. Prosiguió exactamente como le habían enseñado. Las palabras se formaban en su mente a medida que las recordaba: «Espero que cuando te yegue esta carta'stes vien.» Escribía con lentitud. Había palabras que no sabía deletrear, así que pronunciaba los sonidos mentalmente y los confiaba a sus dedos. Contó a su madre que estaba bien. Que había regresado al rancho en autobús. Que el Tata también estaba bien. Y *Capitán*. Le dijo que la vería pronto. «Ya te boa' ver», escribió. No le habló de los controles. No le habló de Gerardo, Elías y Dolores, ni del montón de gente que ocupaba el rancho. Terminó la carta diciendo: «No tengas miedo. Tu hijo Nicolás.» Satisfecho, levantó la cabeza y pasó la palma de la mano por el papel, como si eso pudiera hacerlo todo más claro.

—¿Terminaste? —preguntó Alvarado.

—Ah —dijo Nicolás, pues acababa de recordar otra cosa. Inclinó la cabeza sobre el papel y añadió: «La birgen mestá cuidando»—. Ya está —dijo.

Alvarado giró su gruesa muñeca y consultó su reloj.

—El autobús de La Palma debería llegar en cualquier momento. Me voy a la terminal para recibir al gringo. —Se levantó de su asiento—. Ustedes recojan todas las bolsas de sangre que hay en el frigorífico. —Señaló las ventanas—. En el patio encontrarán cajas de corcho y cordel, y en el congelador hay hielo para mantener la sangre fría. En cuanto regrese con el gringo, deberán partir sin demora.

Gerardo y Elías se levantaron. Nicolás hizo otro tanto. Guardó la carta en el sobre y lo cerró con saliva.

—Chele, ¿quieres una mandarina? —preguntó Alvarado.

Nicolás se encogió de hombros.

—Anda, toma una.

Nicolás agarró la de arriba, pues no era tan descarado como para ponerse a elegir. Se guardó el sobre debajo del brazo para tener las manos libres. Peló la fruta, sorprendido de la facilidad con que la cáscara se desprendía de la pulpa. Utilizó un dedo para partirla y se abrió como una naranja pequeña, si bien desprendió un aroma propio. La engulló en tres bocados. Era muy dulce. Por el mentón le cayeron gotitas de jugo y de repente se avergonzó de su ansia. Levantó un hombro y se limpió la boca con la camisa.

—Toma otra —le dijo Alvarado—, hay muchas. —Luego se dirigió a los hombres—. El niño se viene conmigo. Camino de la terminal pasaremos por delante de la oficina de correos. Le enseñaré desde dónde enviaré su carta por la mañana.

Años más tarde, Nicolás recordaría prácticamente hasta el último detalle de esa noche. Salir de la casa y tropezar con el aspecto sorprendente de una calle tranquila. El milagro añadido de la pequeña farmacia de la esquina. FARMACIA EL BUEN PASTOR, decía el letrero. Encima había un dibujo de Jesús con un cayado en la mano y un rebaño de corderos de cara negra a su alrededor. Nicolás también recordaría el aire aterciopelado acariciando sus brazos desnudos. Los pasos regulares y seguros que sonaban a su lado. En una mano, el contacto de la carta de su madre, una forma de esperanza renovada. En la otra la recompensa inmerecida de una segunda mandarina. Durante el resto de su vida, el perfume de las mandarinas le traería el recuerdo de la amabilidad no solicitada.

CATORCE

Como su madre era mejicana, el doctor Eddy sólo era mitad gringo. Hablaba un buen español, lo cual era de agradecer, pues entendió a Gerardo cuando le dijo: «Vamos a casa de mi mamá» y, una vez en marcha, «En el camino no se debe hablar». Eddy era un hombre grande y musculoso. Tenía la piel llena de pecas y el cabello rubio y espeso. Por el cuello de la camisa asomaba un vello frondoso que también le cubría los brazos. Era un tipo jovial, pensó Nicolás. Tras descender del autobús con una mochila a rebosar y un maletín de cuero negro, estrechó la mano de Alvarado y luego la de Nicolás, algo asombroso en un adulto.

Al filo de la medianoche llegaron a casa de la niña Tencha, y esta segunda visita sorprendió y alegró a la mujer tanto como la primera. Dejaron las cajas de corcho (había cuatro) en el suelo y el doctor Eddy tomó a la niña Tencha de la mano y le agradeció su hospitalidad. La mujer abrió los ojos como platos al oír que de la boca del enorme chele salía español. Gerardo explicó a su madre que, por seguridad, pasarían allí la noche y partirían al alba. También explicó que las cajas de corcho contenían medicamentos y debían mantenerse frías, de modo que sacaron las botellas de la nevera de cocacola y las sustituyeron por las bolsas de sangre, los frascos de relajante muscular y los anestésicos.

Los hombres se distribuyeron por el suelo de tierra del soportal para respetar la intimidad de la mujer. Nicolás se acurrucó alrededor de su mochila. Dentro tenía la estatua de la Virgen. Le dolían los brazos del esfuerzo de equilibrar la caja que había transportado sobre la cabeza durante más de una hora. Trató de no pensar en el trayecto de vuelta al rancho, en las horas que les quedaban subiendo y bajando montañas antes de llegar a casa. En lugar de eso, imaginó su carta viajando desde la oficina de correos hasta la puerta de la niña Flor. Se durmió intentando descifrar el insondable camino que el sobre recorrería antes de caer en las manos de su madre.

Les despertó el olor del café. La niña Tencha estaba ocupada preparando el desayuno en el hogar. Como era su costumbre, se puso a parlotear mientras trabajaba.

—En tiempos difíciles —dijo— hay que aprovechar las oportunidades. Nada más levantarme, salí a la calle y dije a los vecinos que había un médico entre nosotros, un auténtico milagro de la Virgen y de Dios. Espero que no le moleste, doctor Eddy, pero la gente no tardará en hacer cola detrás de la casa. Cuando hay paz podemos visitar el centro de salud de Tejutla, pero con los tiempos que corren no es prudente salir a la carretera. Demasiados fueron para aliviar un mal de cabeza o un estómago dolorido y perdieron la vida en una emboscada. Advertí a los vecinos que no abusen de su tiempo ni le hinchen la cabeza con lamentaciones, y Dios sabe que no nos faltan. Aunque usted parece tener aguante. Se ve que es un buen médico, joven pero bueno, y estamos agradecidos por eso. Como ya dije, en tiempos difíciles hay que aprovechar las oportunidades que Dios nos da.

Fiel a su palabra, la gente empezó a llegar. Para una aldea tan pequeña, que carecía incluso de nombre, acogía un número asombroso de mujeres, viejos y niños. El doctor Eddy se sentó en un banco ancho que alguien había arrastrado hasta el soportal, con el maletín negro al lado. Nombró a Nicolás su ayudante, aunque el único auxilio que este podía prestarle era mantener a la gente en fila, los perros callados y los niños distraídos durante el reconocimiento. Las quejas más frecuentes eran dolencias de estómago y de pecho. También había dolores de cabeza y de oído.

—Me duele la barriga —dijo una mujer joven cuando le llegó el turno. Estaba embarazada de seis o siete meses. Puso las manos sobre la panza mientras contaba al médico lo mucho que le dolía.

—¿Sangró? —preguntó el doctor Eddy.

—No —respondió ella, e hizo un gesto como si la pregunta fuera absurda.

—Por abajo. ¿Sangró por abajo?

La joven se sonrojó.

—No —dijo.

—¿Qué comió últimamente?

Ella pensó.

—Nada —dijo al fin—. Lo de siempre. Tortillas y frijoles. Y café. Ah, y mangos verdes.

—¿Mangos verdes?

Los ojos de la joven brillaron.

—Me encantan los mangos verdes. Los como con sal.

El doctor Eddy rebuscó en su bolsa y sacó una gran botella de plástico llena de digestivos. Extrajo seis comprimidos.

—Tómese dos ahora. Si la barriga le sigue doliendo, tómese otro dentro de cuatro horas.

—¿Qué color?

—Primero los rosa, luego los amarillos y por último los verdes. Debe masticarlos.

La mujer sonrió. Luego se introdujo los comprimidos rosa en la boca y se guardó el resto.

—Gracias, doctor —dijo, recobrando la timidez.

El siguiente era un anciano con una herida infectada en el tobillo. Antes de que se subiera el pantalón ya podía apreciarse el hedor. Eddy pidió a Nicolás que hirviera agua. Cuando estuvo lista, utilizó unas gasas para limpiar la herida. Trabajaba con rapidez y eficacia. El sol le caía sobre los brazos haciendo que el vello pareciera hilo de oro. El anciano había apoyado la pierna en el banco y retorcía la boca con un estoico dominio de sí mismo. Nicolás no se apartó al ver la carne inflamada y los gusanitos blancos que reptaban en ella. Observó atentamente cómo el médico extraía los gusanos con una pinza y cubría la herida con un pomada oscura de olor penetrante. Luego le observó envolver el tobillo con una venda limpia.

—Tiene que mantener la pierna seca —le dijo Eddy—. Debe permitir que la herida se seque.

El hombre soltó una carcajada que más pareció un gruñido.

—Me gano la vida pescando —dijo.

—¿Pesca en el río? —preguntó Eddy.

El hombre puso los ojos en blanco.

—¿Dónde si no?

—Pues pesque como una grulla —dijo Eddy—. Mantenga esta pierna doblada.

—¿Qué tiene de malo el río? —preguntó Nicolás.

—El agua del río está sucia. Mantendrá infectada la herida. —Eddy depositó un puñado de aspirinas en la palma del hombre—. Tómeselas si le duele.

—A mí no me duele nada —respondió el anciano.

Dio las gracias al médico y se marchó. Apenas se había alejado unos pasos cuando una mujer que esperaba en la cola empezó a lamentarse. El anciano la escuchó pacientemente y le dio las aspirinas.

—Mi niña arde de fiebre —dijo la siguiente mujer. Sostenía un bebé espasmódico de ojos vidriosos y una nariz llena de mocos.

El doctor Eddy colocó una mano en la frente de la pequeña.

—No necesito el termómetro.

—Seguro que tiene cuarenta de fiebre. Puede que cuarenta y uno —dijo la mujer.

El doctor Eddy asintió.

Nicolás pensó que el bebé iba a morir. Una temperatura

por encima de cuarenta grados era fatal. El bebé de la niña Úrsula había muerto. Tenía dos meses. «Tenía cuarenta y uno de fiebre», dijo Úrsula cuando se lo contó a Nicolás. Ahora Nicolás estaba al lado de una madre desesperada. Sostenía al bebé mientras el médico intentaba que bebiera agua azucarada donde había diluido media aspirina. Cada vez que le acercaba la taza a la boca, el bebé apartaba la cabeza.

—Si tuviéramos algo que pudiera chupar —dijo Eddy.

Nicolás pensó en la preciada mandarina que guardaba en la mochila. La sacó, la peló, arrancó un gajo y le hizo un pequeño corte en un extremo.

—Toma —dijo, y colocó la fruta entre los labios de la niña, que no tardó en aferrarse al delicioso manjar.

Entre chupetón y chupetón la madre logró que se bebiera el agua. Cuando hubo vaciado la taza y llegó la hora de la inyección, Nicolás sostuvo al bebé mientras la madre apartaba la mirada y Eddy limpiaba con un algodón una zona de nalga. Cuando clavó la aguja, el bebé se volvió hacia Nicolás y dejó escapar un grito aterrador. Pasado lo peor, la madre tomó a la pequeña y la apretó contra su pecho.

—Ya, ya, ya —dijo, brincando sobre los talones para tranquilizarla.

Nicolás se secó la cara con el brazo y entregó a la madre el resto de la mandarina.

—Eres un buen ayudante —dijo el doctor Eddy—. Si quieres, cuando lleguemos al rancho te enseñaré algunas cosas.

Nicolás se encogió de hombros, esforzándose por ocultar su alegría.

QUINCE

Nicolás estaba acarreando agua montaña arriba cuando la fiebre finalmente le venció. Durante los tres días que llevaba en casa le habían dolido los brazos y las piernas, pero lo había atribuido al esfuerzo de transportar la pesada caja de medicamentos desde Tejutla hasta el rancho. Ahora tenía la sensación de que la cabeza iba a estallarle. Dejó el cubo en el suelo y lo equilibró con una pierna, pero así y todo el agua se desbordó. El pequeño Mario, el hijo de la enfermera, le miró sorprendido.

—¿Qué te ocurre? —preguntó.

Señaló el sudor que le corría por la cara. Nicolás se secó las cejas. Era como si le hubieran abierto un grifo en la frente y el labio superior. En apenas unos instantes la fatiga se había apoderado de él.

—Hace calor —dijo, pero temía que fuera algo más.

Caminó con dificultad hasta el rancho seguido de Mario. Entró el cubo en la cocina, donde Carmen estaba preparando el almuerzo. Al verle, dejó de remover los frijoles.

—¿Qué te ocurre?

Virgen santa, ¿tan evidente era?

—Me duele la cabeza.

—Estuviste al sol demasiado tiempo. Mírate. Estás como un tomate. Ve a sentarte bajo los árboles, donde refresca. Te llevaré un cuenco de sopa en cuanto esté lista. —Apoyó la cuchara en el canto de la olla y tomó a Mario de la mano—. Y tú deja tranquilo al muchacho. Siéntate un rato en el rincón, con las niñas.

La hija mayor estaba entreteniendo a la hermana pequeña con una cigarra reseca que había arrancado de un árbol. Estaba utilizando un cuchillo de cocina para rebanar el caparazón y ver qué había dentro. Mario se sentó al lado.

—Dame eso —dijo, y le arrebató el cuchillo.

Nicolás salió. A lo mejor sólo era eso, demasiado sol. Primero el Tata le había enviado al pequeño campo a recoger forraje para la cabra. Él y Mario habían hecho cuatro viajes. Luego estaba el agua que tuvo que transportar bajo el sol abrasador. Pero ¿por qué se sentía como si tuviera los huesos rotos? Se desplomó bajo el copinol, su lugar favorito porque ofrecía la mejor panorámica. Apoyó su cabeza dolorida en el tronco y trató de distraerse.

Ya no podía ver directamente el interior de las habitaciones del rancho donde los médicos operaban y donde los operados recuperaban el conocimiento. Durante su ausencia habían construido un soportal en la parte lateral de la choza. Los catres construidos nada más llegar al rancho estaban allí, ocupados por los heridos. Chema, el hombre que Félix había abierto días antes, yacía en uno de ellos. La incisión del estómago no estaba cicatrizando bien. Rezumaba pus y apestaba, y las moscas la rondaban. La mayor parte del tiempo Chema estaba atontado y gemía. Ahora que habían llegado nuevas existencias, la bolsa que colgaba de la viga contenía glucosa en lugar de agua de coco. En otra cama, junto a Chema, Samuel reposaba estoicamente con una pierna destrozada por la metralla. En un intento de salvarle la pierna, el doctor Eddy y Félix se habían pasado dos horas extrayendo fragmentos de metralla de la herida y reconstruyendo lo que quedaba del fémur. Afortunadamente para Samuel, disponían de anestésicos y antibióticos. En estado convaleciente era un hombre tranquilo. El doctor Eddy, con ayuda de Nicolás, había construido una rampa de madera para mantenerle la pierna en alto. La rampa estaba sujeta a una cuerda que el médico había pasado por encima de una viga y atado a una piedra por el otro extremo para que hiciera de contrapeso. Samuel nunca se quejaba de la presión del tirón. De tanto en tanto salvaba con una mano la corta distancia que le separaba del catre de Chema y la agitaba para impedir que las moscas se instalaran en la herida de su compañero.

Fuera de la casa, bajo los árboles y los nuevos porches, el trajín diario de la revolución seguía su curso. Un hombre atendía la radio; otro buscaba en un transistor la emisora popular para escuchar las últimas noticias; un grupo de soldados dispuestos en círculo escuchaba con atención las explicaciones de Dolores sobre las tácticas de su próximo ataque; Lidia, ajena a su abultada barriga, pronunciaba en voz alta las letras del alfabeto para enseñar a algunos de ellos a leer.

Bajo uno de los porches estaba el Tata, inclinado sobre una mesa tosca, haciendo bombas. Además de pescar para el grupo, su otra tarea era fabricar bombas. Elías le había enseñado. Primero rascaba el fósforo de las cerillas y lo molía hasta obtener un polvillo. Luego colocaba uno o dos pellizcos de polvillo sobre un recuadro de papel de aluminio, cerraba el papel y lo apretaba contra la base de una vela rebajada hasta una longitud concreta para que hiciera de temporizador. Por último, encajaba la vela en el cuello de una botella llena de gasolina. Cuando llegaba el momento de utilizar la bomba, el guerrillero se colocaba en el punto estratégico y dejaba la vela en el suelo. Acto seguido, encendía la mecha y se alejaba. Poco después, ¡bum!, la botella estallaba.

Carmen salió de la cocina. Era una mujer maciza, de piernas fuertes y nervudas y calzada con unas chancletas de color turquesa que golpeaban vivamente el suelo. En una mano portaba un cuenco de sopa y con la otra se subió la tira que colgaba de su hombro rollizo.

—Toma, bébetela —dijo a Nicolás—. Sopa de pescado hecha con la captura de tu abuelo.

Nicolás le dio las gracias con voz débil y aceptó la sopa. Tomó unos sorbos, dejando que el vapor le humedeciera la cara. Pero al inspirar profundamente, el olor le revolvió el estómago. Se obligó a beber, si bien dejó medio cuenco en el suelo cuando su rostro sufrió una nueva oleada de sudor. Se levantó con dificultad y se dirigió a la colina en busca del camino más corto a la cueva. Pasó frente al porche donde Félix, Eddy y Rosario, la enfermera con dos dientes de oro, instruían a cinco guerrilleros que en el futuro harían de médicos. Pese a la insistencia del Tata en que practicara los números y las letras, era con los médicos con quien Nicolás prefería estar. Pero hoy no. Hoy necesitaba su hamaca. Necesitaba que su Virgencita, metidita en su hornacina, le cuidara.

Una vez en la cueva, se desplomó sobre la hamaca presa de la fiebre y los escalofríos. Aliviado por el olor a marga y la luz tenue, su mente viajó hacia pensamientos agradables. Se encontró de nuevo con su madre. Iban camino de Arcatao, como el año pasado, cuando monseñor Romero visitó la ciudad. Había venido para celebrar misa y hablar a la gente, para darle ánimos y reavivar las esperanzas de justicia. Lety, devota de Romero, fue a buscar a Nicolás para la ocasión acompañada de Basilio Fermín, un hombre casi tan viejo como el Tata y chófer de la niña Flor.

Nicolás revivió el acontecimiento. Los tres sumándose al grupo de fieles a lo largo del camino. La camaradería. La jovial expectación. La canción popular que la gente entonaba mientras avanzaba: «Y si quieren mi sangre, les daré mi sangre. Será un placer darla por la gente explotada de mi país.»

Acurrucado en su hamaca, Nicolás imaginó una vez más la cara dulce de su madre frente a la pequeña iglesia. Extasiada, escuchaba a Monseñor contar a la multitud que le habían detenido:

—Escuchad, cuando venía de camino me amenazaron,

pero fue sólo una prueba. Que eso no os desanime —suplicó—, sino que os fortalezca. Avanzad en vuestra lucha.

Durante la misa, la imploración de Monseñor había estado acompañada de la voz angelical de una mujer que entonaba el *Ave María*. Era como si Nuestra Señora les hablara.

De regreso a casa, la gente pasó la noche a orillas del Sumpul. Envuelto en fiebre, Nicolás divisó de nuevo las hogueras. Aspiró el aroma a café y maíz. Recordó los relatos de la gente. La esperanza recuperada. Observó a Basilio Fermín apoyado contra un árbol. Le observó tallar un animal a partir de un pequeño trozo de madera.

Y oyó a su madre decir:

—Mira, es un cordero.

—El cordero es el símbolo de los descarriados —añadió Basilio Fermín.

—¿Quién se descarrió? —preguntó Nicolás.

—Todos nos descarriamos —respondió mamá.

De nuevo en la cueva, Nicolás se obligó a abrir los ojos. Alguien sacudía su hamaca. Levantó la cabeza y vio a Mario.

—¿Qué te ocurre? —preguntó el niño—. Te busqué por todas partes.

—No me encuentro bien.

La cabeza de Nicolás se desplomó sobre las cuerdas de la hamaca. El menor movimiento le resultaba agotador.

—Voy a buscar a mi mamá —dijo Mario.

Nicolás estaba demasiado cansado para discutir.

Las sacudidas de Rosario le despertaron de nuevo; esta vez no tuvo fuerzas para levantar la cabeza.

Rosario le palpó la frente.

—Santo Dios, estás ardiendo. Avisaré al doctor Eddy.

Nicolás estaba demasiado dolorido para discutir.

En pocos minutos la cueva se llenó de gente: Rosario y Mario, el Tata, *Capitán* y Eddy. El Tata colocó su enorme mano con olor a fósforo sobre la frente de su nieto.

—Está ardiendo.

—Necesito espacio —dijo Eddy—. ¿Qué les parece si es-

peran fuera? Cuando termine de examinarle podrán entrar.
—Se arrodilló junto a la hamaca—. ¿Cómo te encuentras?

—Me duele.

—¿Qué te duele?

—La cabeza. Y los huesos. Tengo la sensación de que están rotos.

—Voy a tomarte la temperatura. Abre la boca.

La varilla se deslizó entre los labios de Nicolás. Los dientes se aferraron al cristal.

—No lo muerdas. Deja que descanse sobre la lengua. Así. Muy bien.

El gringo aguardó un rato antes de recuperar el termómetro.

—Mmm —dijo.

—¿Qué?

—Tienes mucha fiebre. Ciento tres grados. Fahrenheit, claro. —Se levantó y se volvió hacia el túnel—. Volveré enseguida. Estás muy deshidratado y necesitas ingerir líquidos.

Nicolás cerró los ojos. En sus oídos resonaron los pasos encorvados de Eddy alejándose por el túnel. Nicolás se llevó las manos a las mejillas. Era cierto, estaba ardiendo. Tenía las manos tan calientes como la cara. Ciento tres grados, cuando cuarenta y uno bastaban para matar a una persona. Con gran esfuerzo levantó la cabeza y miró a la Virgen. La túnica azul, la coronita astillada y el brazo intacto se mezclaron y flotaron frente a él como un espejismo.

—Si estás preparada para llevarme —susurró—, supongo que yo también lo estoy.

Morir requería su tiempo. Morir hacía que la cabeza te diera vueltas con el zumbido de los insectos y las imágenes que te producían vértigo: tu madre arrastrada por dos hombres con cruces verdes en los cascos, tu madre levantando un pie descalzo para detenerles, poniéndose de pie y adecentándose como si acabara de bajar de una atracción. La sonrisa amplia de tu madre. Tu madre corriendo a abrazarte. Tu madre exclamando: «¡Seguro que pensabas que había muerto!»

Morir era estar atrapado en un túnel como el que conducía al río, pero este no tenía entrada ni salida. En este túnel hacía calor y no había aire, y las paredes se iban acercando mientras corrías de un lado a otro intentando escapar.

Morir era oír a la Ziguanaba decir tu nombre aunque fuera mediodía. La Ziguanaba en la margen del río, calentándose al sol. La Ziguanaba entrando en el túnel para sacarte con sus dedos afilados.

Pero la muerte también traía la voz de la razón de Nuestra Señora.

—Estoy contigo, Nicolás. Mira la luz que desprenden mis manos. Deja que la luz te sosiegue. Mi luz te protege.

—Sí, la veo —gimió Nicolás, aunque no tenía fuerzas para levantar los ojos hacia la hornacina.

—Tranquilo, tranquilo, hijo —dijo alguien. Era la voz del Tata.

—Tata, ¿dónde estás?

—Estoy aquí, a tu lado. *Capitán* también está. ¿Lo notas debajo?

—Ajá —murmuró Nicolás, aunque sólo notaba sus propios huesos quebradizos.

—El médico te puso una aguja en el brazo y hay una medicina en una bolsa que te está entrando en el cuerpo. Mantén el brazo recto, hijo. No lo muevas.

—Ajá.

El tiempo era un río largo y él flotaba en su superficie, por el centro, alejado de la orilla donde la muerte y los peligros acechaban. De tanto en tanto notaba una toalla húmeda en la frente. De tanto en tanto la mano del Tata le acercaba la cabeza al borde de un vaso.

—Toma —dijo—, has de beber mucha agua.

Cuatro días más tarde, cuando Eddy le tomó la temperatura y observó que había bajado a noventa y ocho, declaró que Nicolás estaba recuperado. Nicolás salió de la cueva y fue recibido por un sol tan intenso que le dañó los ojos. Bajó por la colina apoyándose en su abuelo. Cincuenta y siete números por encima de los temidos cuarenta y uno y todavía estaba entre los vivos. Era un milagro de Nuestra Señora. Ella le cuidaría hasta que el número fuera el correcto.

DIECISÉIS

Cuando se hubo recuperado, Nicolás colocó el cordero de madera, y también un león, ambos tallados por Basilio Fermín, junto a la estatua de Nuestra Señora. Hasta el momento de enfermar y ponerse a delirar había olvidado esos obsequios. Y al propio Basilio Fermín, su rostro moreno, alargado y ojeroso como el de un podenco.

Nicolás contó al Tata que había enviado una carta a su madre; le dijo que el señor Alvarado la había dejado en la oficina de correos de Tejutla. Citó de memoria lo que había escrito. Luego, dijo:

—A lo mejor, cuando mamá reciba la carta, cuando arreglen el puente y se pueda viajar, a lo mejor Basilio Fermín nos la trae. Como cuando vinieron a buscarme para ir a Arcatao a ver a Monseñor.

—Que Dios te oiga —respondió su abuelo con los ojos nublados.

Era de noche y Nicolás y el Tata dormitaban en sus respectivas hamacas. Mario dormía sobre la estera de paja junto a la entrada de la cueva. Había sido un día agotador. La pierna de Samuel había empeorado. La fiebre le había subido y deliraba, por lo que ya no podía mantener las moscas alejadas de Chema. La tarea había recaído entonces sobre Nicolás, que pasó varias horas agitando un pedazo de cartón sobre la herida vendada del guerrillero. Chema estaba consciente pero deprimido. Mantenía la mirada clavada en la radio rebelde que crepitaba noticias e información. Desde su posición, Nicolás se dedicaba a observar a Samuel y Félix, que de vez en cuando se inclinaba para tomarle la temperatura. El médico le colocaba el termómetro debajo de la axila por miedo, decía, a que si se lo ponía en la boca lo partiera en dos. Cada vez que Félix leía el termómetro, Nicolás hacía la misma pregunta:

—¿Cuánto marca?

—Treinta y ocho —contestaba Félix. O treinta y nueve, o treinta y nueve y medio.

Tales incrementos alarmaban a Nicolás, que de tanto en tanto se llevaba una mano a la mejilla. Al cabo de un rato dijo a Félix:

—¿Puede tomarme la temperatura?

Llevaba cinco días levantado. Seguro que la cifra había bajado.

—¿Por qué quieres que te la tome? —preguntó Félix.

Nicolás se encogió de hombros. ¿Cómo podía compartir la difícil complejidad de sus emociones? Había estado muy cerca de la muerte y la Virgen Milagrosa le había tendido su luz para salvarle. Lo creía con toda su alma. Así y todo, no podía evitar desear una prueba más tangible, como saber que la temperatura de su cuerpo ya era normal.

Samuel gimoteó.

—Mamá, ¿dónde estás? No me dejes, mami.

—Pobre muchacho. Está llamando a su madre. —Félix sacudió la cabeza—. Si la temperatura sigue subiendo, tendremos que amputar.

—¿Cree que puede hacerlo? —preguntó Nicolás.

—No será fácil. Las amputaciones pueden ser muy desagradables.

—Me refería a tomarme la temperatura —dijo Nicolás.

—Oh, por todos los santos, ven aquí.

Félix frotó el termómetro con alcohol y lo colocó sobre la

lengua del muchacho. Nicolás cerró los labios y permaneció muy quieto mientras rezaba en silencio el *Ave María*.

—Ya está —dijo el médico tras unos minutos que a Nicolás le parecieron eternos—. Treinta y siete grados. Eres un niño normal.

Aliviado, Nicolás relajó los músculos de las piernas.

—Lo sabía —contestó.

Ahora, al pensar en ello en la oscuridad de la cueva, sonrió para sus adentros. Cerró los ojos y esperó a que le venciera el sueño. Mañana al amanecer acompañaría a Elías y Gerardo a El Retorno.

Finalmente se hizo necesario amputar la pierna de Samuel, pero en todo el campamento no había una sola sierra. Había machetes, naturalmente, y muchos, y podrían servir en última instancia. Pero el doctor Eddy prefería una sierra. Las sierras son más precisas, explicó. Una sierra puede controlarse. Para amputar con un machete había que dar un golpe certero. Un machete descendiendo sobre el muslo de Samuel era una imagen demasiado espantosa, así que Nicolás habló a Dolores de la sierra que colgaba de una clavija en casa de Úrsula.

—La utiliza para cortar la madera para los hornos. No le gusta cortarla con machete. Dice que con la sierra es más fácil.

—En ese caso, no hay más que hablar —había dicho Dolores—. Tú irás a buscarla.

Nicolás se imaginó de vuelta en El Retorno. ¿Había regresado alguien? ¿La niña Úrsula a su tortillería? ¿Doña Paulina a su tienda? ¿Y Emilio Sánchez? Si sus parientes iban a buscarlo y veían su casa bombardeada, ¿cómo sabrían que debían mirar en la iglesia? Nicolás se dio cuenta, al hacerse esa pregunta, que él se hallaba en un problema similar. Si el Tata y él se separaran, como había ocurrido el primer día, cuando Nicolás llegó de San Salvador, ¿cómo sabrían donde volver a encontrarse?

—Tata, Tata, despierta.

—¿Qué ocurre? —refunfuñó el abuelo.

—Si nos pasa algo, si nos separamos, ¿cómo volveremos a encontrarnos? Tengo miedo, Tata, creo que…

—Un momento, un momento —dijo el Tata—. Caray, dormía como un tronco.

Con toda la paciencia de que era capaz, Nicolás aguardó unos segundos antes de proseguir.

—¿Estás despierto ya, Tata?

—Sí. ¿Qué ocurre?

Nicolás habló pausadamente.

—Si nos pasa algo y nos separamos, ¿dónde podré encontrarte, Tata? ¿Dónde podrás encontrarme tú?

—Buena pregunta —dijo el abuelo al fin.

—Tenemos que acordar un lugar.

Mencionaron diferentes posibilidades: la cueva, la cascada, el recodo del río donde pescaba el Tata, el campo de refugiados hondureño situado al otro lado de la frontera. Al final optaron por El Retorno. Si les separaban alguna vez, los dos debían intentar volver al pueblo y esperar en la iglesia.

—Las bombas destruyeron la mitad del edificio —dijo Nicolás— pero la hornacina donde estaba la Virgen sigue entera. —Vaciló antes de añadir—: La Virgen dijo que me protegería. Me dijo que no tuviera miedo.

—Pues ya está —respondió el abuelo—. Nuestra Señora no miente. Si se da la necesidad, nos encontraremos al lado de su hornacina. —Se aclaró la garganta varias veces, como si se dispusiera a seguir durmiendo, y añadió—: Y ahora a dormir, Nico.

—Bueno —convino Nicolás, contento de que la primera mención de que la Virgen le había hablado no hubiese provocado la incredulidad del Tata.

En casa de Úrsula no había ninguna sierra. La pared de la galería donde solía colgarla estaba desnuda. Toda la casa había sido saqueada, y también la tortillería y la farmacia. Las puertas, echadas abajo. El interior era un caos: estantes por el suelo, mostradores rotos, ambos comercios arrebatados de cuanto valía la pena llevarse.

Cuando llegaron a casa de Úrsula, Nicolás inspeccionó primero la tortillería (la masa de maíz de los tubos estaba dura como la piedra). Luego cruzó el patio hasta la habitación. Estaba silenciosa y vacía, como dos semanas atrás. Pero ahora había caos, el mismo que había visto en la calle, y se respiraba maldad. ¿Quién había venido a llevarse lo poco que valía la pena llevarse?

Nicolás regresó a la calle. Elías y Gerardo estaban haciendo guardia bajo el alero de un edificio para protegerse del sol. Nicolás explicó el problema.

—¿Quién más podría tener una sierra? —preguntó Gerardo.

El día antes se había cambiado la camisa de cuadros. Hoy llevaba una de poliéster marrón brillante, arremangada sobre los codos con dos pliegues.

—Tenemos que encontrar una sierra y salir pitando —dijo Elías—. Está claro quién estuvo aquí antes que nosotros. —Se quitó la gorra y volvió a ponérsela con gesto veloz.

Nicolás trató de pasar por alto el comentario. Trató de pasar por alto la imagen de los soldados saqueando el pueblo, de la Guardia merodeando.

—Emilio Sánchez tenía una sierra, pero su taller ardió durante el bombardeo.

—La sierras no arden —dijo Gerardo, y los tres se dirigieron al taller de Emilio, o lo que quedaba de él.

Mientras sus compañeros revolvían los escombros con la punta de las botas, Nicolás se dirigió a la iglesia para comprobar si Emilio seguía allí. Se detuvo al pie de la cuesta a fin de contemplar el edificio y volvió a sorprenderle su estado ruinoso. Las grietas de la tierra provocadas por las bombas se habían suavizado, pero el enorme conacaste partido en dos parecía aún más triste. Las hojas de las ramas que descansaban sobre el altar se habían cerrado formando cilindros marrones.

—¡Emilio! —gritó Nicolás, dudoso de seguir avanzando—. ¿Estás ahí?

Al no recibir respuesta, se volvió y miró el pueblo. La maldad que se escondía en sus calles sin vida hizo que se le saltaran las lágrimas, así que levantó su machete y azotó la hierba tiesa y deslustrada del suelo. De abajo llegó el *¡brrrt!* de un fusil y luego más disparos. Nicolás se echó al suelo. Estaba al descubierto. Era un blanco fácil. La escuela se hallaba a unos metros de él. Se levantó y corrió hasta ella cuchillo en mano. Entró con tal impulso que estuvo a un tris de tropezar con las mesas y sillas rotas. Pegado a la pared, se arrastró hasta la ventana por donde parecían llegar los disparos. Se acurrucó debajo del alféizar y escuchó el tiroteo. Cuando se hizo el silencio, advirtió que el corazón le retumbaba en los oídos. Asomó la cabeza por el alféizar.

Elías estaba en medio de la calle. Cerca de él, un guardia con uniforme caqui yacía sobre la calzada, muy quieto. Tenía las piernas cruzadas y las botas formaban un ángulo inverosímil. Otro guardia estaba arrodillado delante de Elías. Tenía el fusil en el suelo, a la distancia de un brazo. El hombre tendió una mano suplicante hacia Elías, que le apuntó con su fusil, casi despreocupadamente, al pecho. Nicolás aspiró hondo y, antes de que exhalara, Elías ya había apretado el gatillo.

El impacto de las balas lanzó al guardia hacia atrás, y se desplomó como un saco. Elías permaneció inmóvil salvo por los dos dedos que viajaron prestos hasta su bigote.

Nicolás se apartó de la ventana y se apretó contra la pared.

—Virgencita —dijo en voz alta—, ayúdame.

Esperó a que sonaran más disparos. ¿Dónde estaba Gerardo? ¿Había más guardias ahí fuera? Ahogando un sollozo, se arriesgó a asomarse nuevamente por el alféizar. Entonces vio cómo Elías le quitaba las botas al guardia. Nicolás salió de la escuela. Como si caminara por piedras resbaladizas, se acercó a Elías.

—¿Qué haces? —le preguntó. Contempló la calle y los edificios ruinosos. No se veían más guardias.

Elías gruñó mientras tiraba de las botas del segundo hombre.

—Nos las llevamos. Y también las mochilas y los uniformes. —Elías ya se había colgado del hombro los fusiles de los guardias—. Quítale los pantalones a ese —ordenó a Nicolás—. No te molestes con la camisa. Las balas la dejaron hecha un asco.

—¿Dónde está Gerardo? —preguntó Nicolás, que no pensaba obedecer a Elías.

—Allí. —Elías señaló con la cabeza el taller de Emilio—. Esos dos lo mataron.

De nuevo una mula humana, Nicolás se arrastraba bajo cuatro mochilas, un fusil, dos pares de botas y su propio machete. Bajo el brazo llevaba una hoja dentada y ennegrecida por el hollín, lo único que quedaba de la sierra de Emilio Sánchez. Sobre el hombro de Elías, como un saco, viajaba el cuerpo de Gerardo. La sangre que le brotaba de la enorme herida en el pecho descendía por la camisa de Elías y empapaba sus pantalones. Como si eso no fuera suficiente, dos fusiles M-16 le colgaban del otro hombro. Con todo, apenas se detuvieron a descansar durante las dos horas que duró el trayecto. Nicolás iba en la cola, procurando obtener fuerzas del aguante de Elías. Bajo un sol feroz, mantenía los ojos clavados en la ancha espalda de Gerardo, en los curiosos orificios que salpicaban su camisa de poliéster. Pensó en la madre de Gerardo y en su humilde habitación: la niña Tencha trajinando en la cocina, sin saber que su pequeño rey se había ido.

DIECISIETE

Enterraron a Gerardo bajo los árboles situados detrás del rancho. Samuel le hacía compañía. Con Gerardo enterraban la ironía de que su muerte se hubiera producido en una misión destinada a salvar la vida de su compañero de sepultura, pues al final la recuperación de la sierra de Emilio Sánchez había sido en vano. Mientras Elías, Gerardo y Nicolás estaban en El Retorno, la pierna de Samuel había enviado un coágulo de sangre a un pulmón y ni Félix ni Eddy pudieron hacer nada para salvarle la vida.

Después del entierro Nicolás se volvió más taciturno de lo habitual, siempre dispuesto a llorar. Ahora, dos días más tarde, fue hasta la zona del río donde se formaban los saltos de agua. Como era abril y todavía faltaban dos meses para las lluvias, la corriente era poco caudalosa y la cascada dócil. Se quitó las botas y los calcetines y vadeó el río hasta su roca favorita. Era plana y ancha. Se sentó y curvó la espalda para recibir el chorro de agua. Se concentró en el ruido de la corriente a fin de borrar de su mente la imagen del guardia, pero por mucho que lo intentaba, no lo conseguía. Una y otra vez veía la mano suplicante del guardia tendida hacia Elías. Una y otra vez veía a Elías apretar el gatillo como respuesta.

La cascada le golpeaba agradablemente la espalda sosegándole el cuerpo y la mente. El sol penetraba el agua pulverizada con sus rayos multicolores. Virgen santa, pensó, pues esa luz era como la luz que proyectaban las manos santas de Nuestra Señora. ¿Qué debo hacer? ¿Qué debo hacer cuando sólo hay muerte a mi alrededor? Dejando que su boca se llenara de agua, gorgoteó las palabras en busca de una respuesta, sabedor de que la voz de la Virgen podía atravesar la profunda densidad de su desesperación. Pero sólo oyó el chapoteo del agua.

Tenía los tejanos empapados y el peso de la tela aumentaba sobre sus muslos y pantorrillas. La delgada camisa se le adhería al cuerpo como una segunda piel. Miró río abajo, donde el agua se arremolinaba para luego volverse apacible. Si le pidieran que lo expresara, no podría encontrar las palabras adecuadas, pero lo que quería en su vida era esa misma clase de transformación. Sencillamente, deseaba vivir en aguas tranquilas.

Permaneció sentado durante un rato lamiendo la medalla de la Virgen Milagrosa que colgaba de su cuello. Pensó en la madre de Gerardo, en el día que llamaría a su puerta para entregarle el mechón de pelo que había cortado de la cabeza del guerrillero con las tijeras de la navaja suiza. Le diría que su hijo, pese a su afiliación política, había sido un buen hombre por lo que a él respectaba. Nicolás contempló cómo corría el río entre los árboles que flanqueaban la orilla, inmóviles bajo el peso del sol. Quiso decir una oración, pero no le vino ninguna a la cabeza. De pronto recordó una melodía que su madre cantaba a menudo. «Oh, María, mi Madre, mi consuelo, mi protección y mi guía hacia el reino de los cielos.»

Echó a andar río arriba y de repente oyó la voz de Mario.

—¡Nico, Nico!

Qué querrá ahora, pensó Nicolás, pero aceleró el paso porque había urgencia en su voz. Al asomar por unos arbustos, Marió le recibió con un alegre brinco.

—¡Estás aquí! —dijo—. ¡Ven, corre! ¡Lidia está cagando un niño!

En efecto, Lidia estaba dando a luz, despatarrada bajo uno de los porches. Todas las mujeres del campamento y algunos hombres estaban presenciando el acontecimiento. Mario se abrió paso para unirse a las hijas de la cocinera, que estaban sentadas en el suelo con las piernas cruzadas, como si estuvieran viendo una película. Nicolás se quedó con los hombres. Los médicos no se hallaban presentes, pues estaban atendiendo a los heridos. El Tata y *Capitán* estaban pescando e iban a perderse el espectáculo.

Porque era todo un espectáculo. Nicolás vio a Lidia ponerse de cuclillas y reclinarse sobre Elías, que estaba sentado en una silla y la mecía entre sus piernas abiertas. ¡Elías! ¡Elías estaba sentado allí! Lidia tenía la falda recogida por encima de la abultada barriga. Llevaba puestas las botas, y las piernas, abiertas de par en par, mostraban una sorprendente negrura en el centro. Nicolás estaba atónito. Miró el rostro sudoroso de la muchacha, el modo en que se retorcía y enrojecía, cómo gruñía y abría los ojos con tanta fuerza que temió que se le salieran de las cuencas. Lidia inspiró y retorció de nuevo la cara, apretó los ojos y abrió la boca para emitir un gruñido interminable.

Rosario estaba arrodillada delante de ella, vociferando instrucciones.

—¡Empuja! ¡Empuja!

Sus dientes de oro resplandecían con cada orden.

¿Empujar? ¿Por qué?, pensó Nicolás, y entonces la vio: la coronilla negra y húmeda de una cabeza asomando como un pollito al romper el cascarón. Contuvo el aliento, abrió los ojos como platos y vio cómo un bebé se deslizaba hacia el exterior como si estuviera engrasado.

Rosario sostuvo el bulto entre las manos.

—¡Es un niño! —exclamó, y mirando a Elías añadió—: Tienes un muchacho.

En la radio popular sonó una canción alegre que hizo sonreír a los espectadores. Lleno de orgullo, Elías se levantó y apartó la silla para que su mujer pudiera tenderse.

DIECIOCHO

Esa noche los guerrilleros celebraron el acontecimiento. Organizaron una fiesta bajo los árboles, donde era menos probable que el enemigo buscara el resplandor de hogueras. La gente se hizo con piedras para sentarse y trasladó los catres para que los heridos convalecientes pudieran sumarse a la fiesta: Chema, que necesitaba animarse y ya le habían retirado el tratamiento intravenoso, y otros tres que pronto abandonarían el lecho y se reincorporarían a la lucha. Esa noche iban a disfrutar de un banquete especial. Chico, encargado de la logística, había atrapado cinco conejos que Carmen había convertido en un suculento estofado. Había tortillas, frijoles y café para dar y regalar. Pero la principal exquisitez eran las latas de sardinas extraídas de las mochilas de los guardias muertos. Eso y varios paquetes de cigarrillos con filtro, una enorme bolsa de plástico con granos de café fresco y dos bolsas pequeñas de azúcar refinado.

—Vaya —dijo Carmen cuando Elías le llevó el alijo a la cocina—, parece que el enemigo vive de otra forma.

Esa noche celebraban el nacimiento de Noé, así llamado en honor al constructor del arca bíblica, y honraban la vida y la muerte valerosas de Gerardo y Samuel. También era la despedida del doctor Eddy, que al día siguiente se marchaba a un centro quirúrgico de Arcatao. Sólo Víctor, que hacía guardia en el río, no podía participar de la fiesta. Para compensarle, recibió dos filetes de sardina en lugar de uno. Y si hubiese sido fumador, también habrían aumentado su asignación de cigarrillos. Orlando, el guerrillero que hacía guardia en lo alto de la colina, prácticamente era un participante, pues su puesto le acercaba regularmente a la fiesta.

Nicolás llevaba puesta la camiseta con el dibujo del toro rojo. Esa tarde, cuando Mario vio las feroces fosas nasales del animal, exclamó «¡Uy, toro loco!». Nicolás colocó sus dedos índices detrás de la cabeza a modo de cuernos, pisó fuerte y embistió al pequeño. Mario dio un salto atrás y se echó a reír. Ahora, no obstante, Nicolás tenía el ánimo sombrío, pues era consciente de que en pocos días había experimentado la vida en sus extremos: un final y un principio. El sabor salado de la sardina también le había apaciguado. Aunque la envolvió en una tortilla y la tragó ayudándose con sorbos de café, el aceite aún se aferraba a su garganta, y no comprendía por qué eran tan apreciadas. Sentado en un tronco, se dedicó a absorber su entorno: el concierto de las ranas en el río, el canto de los grillos bajo los árboles, el chisporroteo de la hoguera y el olor ahumado de la madera, la cúpula de los árboles que caía sobre sus cabezas como el manto de Nuestra Señora.

Terminada la cena todos los hombres, con excepción del Tata, se pusieron a fumar. Algunas mujeres también, entre ellas Carmen. Daba profundas caladas y dejaba escapar largos penachos de humo con satisfacción. Nicolás la tenía delante, y con el brillo del fuego pensó que sus fosas nasales se parecían a las del toro rojo. Dolores, la jefa, también tenía un cigarrillo, pero como estaba hablando a su gente, más que fumarlo lo agitaba con la mano. Una vez consumido, lo arrojó al suelo y lo aplastó con la bota.

—Miren esto —dijo, arañando el suelo con la bota—. Este terreno no es más que sedimento y roca. Sólo sirve para dar traspiés. No hay mantillo. No hay nutrientes. ¿Quieren saber por qué? Les diré por qué.

Durante la época colonial, explicó, la tierra proporcionaba

añil y su tinte azul a los tejedores europeos y las fábricas textiles inglesas. Sus propios antepasados habían trabajado el añil, dijo. Era famoso en todo el mundo por su intensidad y pureza. Los antepasados habían soportado la codicia de los terratenientes, quienes, a fin de obtener el máximo beneficio, explotaban a las tribus y agotaban la tierra, pues el añil se cultivaba año tras año y no se alternaba con otros cultivos como el frijol y el maíz. Este abuso de la tierra provocó su desmonte y una severa erosión. A principios del siglo XX, y quizá como justo castigo, Alemania fabricó un tinte sintético a partir del carbón y la industria del añil desapareció para siempre.

Dolores soltó un gruñido de aversión.

—No es de sorprender que haya estallado una revolución. Nuestra gran revolución está hecha de muchas revoluciones pequeñas. Cada uno de los que estamos aquí es parte de la revolución. —Tenía el M-16 apoyado en un muslo—. Miren esto —dijo, levantando el fusil—. La mitad de los que estamos aquí no tiene arma. —Se volvió y señaló con la cabeza a Elías—. Pero gracias a nuestros camaradas, ahora contamos con dos brazos más.

—Larga vida a mi hombre —dijo Lidia, y levantó a su bebé de la misma manera en que Dolores había enarbolado el fusil—. Larga vida a la revolución. Que viva largo tiempo para mi Noé.

Dolores asintió.

—Exacto. Gerardo y Samuel murieron por Noé. Piensen en eso. Piensen en esa verdad cuando la comida se acabe, cuando la munición se acabe, cuando sólo tengamos machetes, cuando sólo tengamos el odio para alimentarnos. —Hizo una pausa y prosiguió—. Usen la cabeza, camaradas, usen la cabeza. Revolución significa dar la vuelta. Nosotros estamos dando la vuelta a nuestras vidas, las vidas de todo el pueblo.

Su discurso dejó a todos pensativos durante un rato. Luego habló Chema, lo cual fue de agradecer, pues durante días había permanecido tumbado en su catre sin apenas pronunciar palabra.

—Cuando me sumé a la revolución tenía como única arma un palo y un saco de cáñamo. Eso era todo. Cubría el palo con el saco y rezaba para que pareciera que estaba ocultando un fusil.

—Yo sólo tenía mi machete —comentó otro hombre.

—Bueno, yo también tenía eso —dijo Chema. Estaba recostado sobre un petate enrollado. Vestía una camisa, pues las noches siempre eran frescas, pero la llevaba desabrochada. La incisión en el abdomen parecía la vía de un tren—. Todos lo tuvimos. A lo largo de los años, todos tuvimos nuestro machete.

—Un canto afilado —dijo Eddy.

—Pues ha llegado la hora de ser explosivos —añadió Félix.

—Durante décadas el enemigo contó con la experiencia —dijo Dolores—. Tuvo décadas para formarse, fortalecerse y crecer. Comparados con el enemigo, estamos en pañales.

—Somos como Noé. —Lidia contempló el rostro inocente de su hijo.

—Ahora somos como Noé —añadió Elías—, pero cada día ganamos en fuerza y dureza.

—No olvidemos las palabras del Che —dijo Dolores—. «Endurecerse, sí; perder la ternura, nunca.»

Carmen aplastó su cigarrillo con la suela de la chancleta. Se levantó y sacudió la cabeza.

—Hablando de ternura, ¿qué tal un poco de música? Esto es una fiesta, ¿no? —Meneó ligeramente los hombros para dar ánimos.

—Buena idea —dijo Dolores—. ¿Dónde está la guitarra?

Elías empezó a tocar y la gente se puso a cantar con voz suave. Pese a las duras circunstancias, agradecían a la vida todo lo que les había dado. Hablaban de superación. Hablaban de triunfo y victoria. Cuando se les terminaron las canciones, se turnaron para contar historias alrededor del fuego.

Enrique habló del día que le dispararon en el trasero.

—Durante un tiempo no me fue fácil cagar. Aguantaba todo lo que podía porque me dolía mucho.

—Es una pena que no pudieras contener los pedos —dijo Joaquín, que había estado con Enrique cuando le dispararon.

Esquivando el tiroteo, había recogido a Enrique del camino. Se lo cargó al hombro como un saco de yute y lo llevó hasta el hospital de campaña de Arcatao.

—El hombre debe buscar alivio como mejor pueda —dijo Enrique.

—Mi alivio llegó cuando dejaste de tirarte pedos —dijo Joaquín, y todo el mundo rió.

—Eran los frijoles —repuso Enrique sin convicción.

—Todo el mundo culpa a los frijoles —dijo Carmen.

—En Estados Unidos —intervino Eddy— tenemos una canción sobre los frijoles que dice: «Frijoles, frijoles, la fruta musical.» —Y les deleitó con el resto mientras bailaba en torno al fuego y la gente daba palmas.

Cuando las risas amainaron, Carmen dijo:

—Pues comamos frijoles en todas las comidas. Tiene gracia si pensamos que la mayoría de las veces no tenemos otra cosa.

—Yo comí serpiente una vez —dijo Lidia.

—La asamos al fuego —explicó Elías—. Huíamos del pueblo donde vivíamos porque el enemigo nos bombardeó. Prendió fuego a todas las casas, los campos y el maíz y los frijoles que estaban listos para la cosecha. Llevábamos tres días de marcha sin nada que comer cuando tropezamos con una boa. Era tan grande que ocupaba todo el ancho del camino. Le aplastamos la cabeza, hicimos un fuego bajo unos árboles y la asamos.

—Cuando tienes hambre, la serpiente está rica —dijo Lidia. Se había abierto la camisa y Noé le chupaba un oscuro pezón.

—¿La serpiente sabe como el garrobo? —preguntó Chema. El largarto era un producto habitual en los mercados.

—No —dijo Lidia—. El garrobo sabe a pollo.

El comentario provocó sonoras carcajadas, pues la gente raras veces veía el pollo.

Cuando el fuego se apagó junto con las historias y las bromas, los festejantes mojaron las brasas y recogieron sus fusiles, machetes y mochilas. Vencidos por el sueño, se retiraron a sus lugares de descanso.

El Tata y Nicolás treparon en silencio la colina que conducía a la cueva. La luna, grande y brillante, ahorraba la necesidad de linterna. Una vez dentro de la cueva, Nicolás encendió una vela junto a la estatua de Nuestra Señora. Entonces, llevado por un impulso, la tomó entre sus manos y posó los labios en la diminuta hendedura de la mejilla. La colocó de nuevo en el entrante antes de volverse hacia su abuelo.

—Esta noche Dolores dijo que somos parte de la revolución. ¿Yo soy parte de la revolución, Tata? ¿Y tú?

La luz de la vela proyectaba en la pared la silueta aumentada del abuelo.

—No, hijo, no eres parte de la revolución. Y yo tampoco.

—Entonces ¿qué somos?

—Somos seres atrapados en medio, nada más.

DIECINUEVE

Una semana después, a media mañana, Norberto, uno de los guerrilleros que había salido a hacer una ronda de reconocimiento, regresó corriendo al campamento con malas noticias. Un informante que acababa de volver de Chalatenango le había contado que los jefes del ejército habían enviado varias unidades para hacer una limpieza. Apenas sin aliento, contó que había visto una de esas unidades no lejos del rancho. Respiró hondo, sosteniéndose el costado, y describió la escena: eran unos doce hombres, todos armados con fusiles de asalto y uno con un equipo de comunicaciones sujeto a la espalda. Si descubrían el campamento e informaban por radio de su ubicación, dijo Norberto, sin duda seguiría un ataque aéreo.

Dolores echó los hombros hacia atrás y dio unas palmadas.

—Se acabaron las vacaciones. Llevamos aquí tres semanas. Tarde o temprano tenía que ocurrir.

Dio la orden y en pocos minutos el campamento se convirtió en una colonia de laboriosas hormigas retrocediendo de una línea de fuego.

Nicolás colaboró en las labores. El Tata, aunque cansado, también. Esa noche había dormido mal debido a un fuerte dolor de cabeza. Hoy, con el calor, su frente sudaba profusamente y las gotas caían sobre las bombas que él y Nicolás estaban guardando en dos cajas de corcho.

—¿Vamos con ellos? —preguntó Nicolás.

Dolores había señalado que si se quedaban, el ejército les tomaría por simpatizantes.

—Por mucho que nos llevemos —había dicho al Tata—, es imposible ocultar que estuvimos aquí.

Señaló el bambú y las ramas apiladas junto a los porches que habían erigido al llegar. Señaló los montones de basura acumulados al lado de la cocina.

—No iremos a ninguna parte —respondió el Tata a Nicolás—. Esta es nuestra casa. Nos ocultaremos en la cueva. —Las botellas de cristal tintineaban al entrar en las cajas—. Ve a la cocina —dijo mientras se secaba la barbilla con el hombro—. Asegúrate de que Carmen no se lleve nuestros utensilios. Mira si puede darte algo de la comida que estaba preparando para el almuerzo.

Unos cuantos pájaros piaban alegremente en el copinol. *Capitán* se levantó de una cabezadita debajo del árbol y, como si estuviera pegado al suelo, contempló desconcertado el ajetreo.

Nicolás fue a la cocina. Carmen se disponía a arrojar los frijoles que se estaban cociendo en una olla porque quería llevársela. Las tortillas recién hechas pensaba guardarlas en una cesta.

—Esa es nuestra —dijo Nicolás señalando otra olla—. Eche ahí los frijoles.

Recuperó la cafetera, la sartén y la cuchara de mango largo que llevaba años apoyándose en el canto de la olla de los frijoles.

—¿No vienen con nosotros? —preguntó Carmen—. No pueden quedarse aquí.

—Nos quedaremos en la cueva —dijo Nicolás—. ¿Puede darnos algunas tortillas?

Carmen sacudió la cabeza con tristeza. Como si estuviera jugando a cartas, apiló diez tortillas.

—Toma, ¿son suficientes? —dijo—. Deberías venir con nosotros, chelito.

—*Gracias** —contestó Nicolás, en parte por las tortillas, en parte porque la mujer le apreciara lo suficiente para no desear que se quedara.

En menos de una hora la gente inició el trayecto hacia el este en busca de regiones más montañosas y arboladas. Habían guardado las engorrosas radios y las baterías. Habían atado el generador a un palo para que dos hombres lo transportaran. Habían metido los utensilios médicos y de cocina en cajas de cartón. Habían preparado cestas con víveres para cargarlas sobre la cabeza. Los frascos con medicinas y las bolsas de sangre llenaban dos cajas de corcho. Cada hombro, cada brazo y cada cuello se convirtió en una percha donde colgar algo: una mochila, un fusil, la guitarra, los enchufes con sus alargaderas. Por primera vez en dos semanas, Chema dejó su catre y, con ayuda de Rosario, subió a una hamaca. Afortunadamente, los demás heridos anunciaron que podían caminar.

La gente no se detenía para despedirse. Iban alejándose uno a uno, la mayoría cargados con un peso mayor que el del propio cuerpo. No se disculparon por apropiarse de *Blanca*, necesaria por su leche, ni de la gallina moteada, necesaria por sus huevos. De pie en medio del jardín, el Tata y Nicolás observaron el bosque hasta ver desaparecer al último guerrillero: Lidia con Noé atado a la espalda. El pequeño Mario caminaba de la mano de su madre mientras miraba atrás con el labio inferior tembloroso. Nicolás giró la cara y sus ojos tropezaron con la entrada de lo que había sido su cuarto. El hueco de la puerta enmarcaba la mesa que Félix había utilizado para operar. Sobre ella estaba tendida la sábana con las rosas de Rosario. Para Nicolás, esas pequeñas rosas constituían la imagen más triste del mundo.

Nicolás y su abuelo se escondieron en la cueva. Llevaron agua y llenaron la jarra de barro hasta arriba. También llevaron el

* En español en el original. *(N. de la T.)*

equipo de pescar, la olla de frijoles y las tortillas. Con ramas frondosas que arrastraron por el túnel cubrieron las rendijas que se formaban entre la roca y la entrada de la cueva. El camuflaje los sumió en la oscuridad. Iluminándose con la linterna, llegaron hasta la salida del túnel y la taparon con más ramas. *Capitán* estaba con ellos, y cuando hecho ya el trabajo sólo quedó esperar, el Tata lo ató a la cadena de *Blanca*.

—*Vaya, vaya** —murmuró para tranquilizarlo.

Acarició las orejas del animal antes de ponerle una correa de cuero en el hocico para impedir que ladrara. *Capitán* propinó varios zarpazos a semejante estorbo, pero el Tata le acarició la cabeza y el lomo y el perro se calmó.

—Ya puedes apagar la linterna —dijo a Nicolás.

Se sentaron sobre unos recuadros de cartón, el perro tumbado entre los dos, con los machetes sobre los regazos. Nicolás tenía en el bolsillo la navaja suiza envuelta con dos billetes de un colón cada uno. Apoyaron la espalda contra la pared que formaba un ángulo recto con la del túnel. Si un intruso entraba en la cueva por la parte de río, pasaría sin verles, lo que les daría tiempo de sobra para blandir un machete.

Nicolás apagó la linterna pero no la soltó. La oscuridad era tan absoluta que tuvo que parpadear para asegurarse de que no había desaparecido.

—¿Estás ahí, Tata? —se sintió impulsado a preguntar.

—Sí —contestó el abuelo, posando una mano tranquilizadora en el muchacho.

—¿Estás asustado? —Nicolás deseó que la vela vibrara en la hornacina, pero hasta la luz más tenue podía delatarles.

—No tengas miedo. En nuestra cueva estamos a salvo.

—Tienes la mano caliente, Tata. ¿Sabías que tienes la mano caliente?

—Trabajamos mucho. Entré enseguida en calor y eso me hizo sudar.

—Ah.

* En español en el original. *(N. de la T.)*

La respuesta satisfizo a Nicolás, que había estado preocupado porque un rato antes había reparado en la frente sudorosa del Tata, pero, sobre todo, en la forma en que se llevaba los dedos a las sienes, como había hecho él cuando enfermó y pensó que la cabeza iba a estallarle. En el reducido espacio, el olor a frijoles y tortillas era intenso, y aunque no tenía hambre, Nicolás decidió concentrarse en él. Al cabo de un instante, y casi para sus adentros, susurró:

—Todo irá bien.

—Todo irá bien —repitió el Tata.

En menos de media hora, en torno al mediodía, un gruñido empezó a retumbar en la garganta de *Capitán*.

VEINTE

Noventa minutos después de que hubiera huido el grupo guerrillero, una docena de soldados avanzaba hacia el rancho en semircírculo cubriéndose tras los árboles. El sol estaba alto y aunque su luz taladraba la vegetación, perdía gran parte de su fuerza por el camino y sólo moteaba el suelo. Los soldados repararon en los restos de la hoguera, las piedras y las colillas que salpicaban la tierra pisoteada. Se adentraron en el claro con cautela. Únicamente se comunicaban mediante gestos. Un soldado empujó una lata de sardinas con la punta de la bota. Vieron los porches abandonados, los cinco catres colocados en fila bajo un soportal de mala construcción. Detrás, el rancho propiamente dicho y, al lado, un cobertizo con techo de tejas y un montón de basura. El lugar estaba tranquilo, pero no se fiaron de las apariencias. El jefe, un hombre alto y grueso, hizo señales a los dos hombres que le flanqueaban. Avanzaron con pasos cortos y raudos. Al llegar al soportal miraron a su jefe, que hizo un gesto de lanzamiento con la mano.

La granada cayó sobre una mesa cubierta por una sábana. Por un brevísimo instante hizo equilibrios como una fruta picada y luego rodó. La explosión hizo añicos la mesa y lanzó astillas de madera contra las paredes de bajareque. Los soldados se habían echado al suelo, pero cuando la onda expansiva de la granada cesó, cuando el bajareque y las hojas de palma del techo dejaron de caer como proyectiles, se levantaron e irrumpieron en la habitación disparando sus fusiles.

En la cueva, la explosión sonó como un golpe sordo. El posterior fuego de fusiles —el inconfundible murmullo metálico— levantó a *Capitán* del suelo. Inmerso en la oscuridad, luchó contra la cadena que lo retenía y golpeó con su enorme cabeza la jarra del agua, que se volcó.

Nicolás se levantó de un salto al notar el agua en la plancha de cartón sobre la que estaban sentados.

—¡*Tata, el agua!**—susurró, consciente de que debía hablar en voz baja.

Ahora que sus ojos se habían adaptado a la oscuridad, veía a *Capitán* tirar de la cadena para liberarse y dar zarpazos a la correa que le cerraba el hocico. El Tata se levantó y dio un traspié, como si hubiera estado dormido y se hubiese levantado demasiado deprisa. Agarró la cadena y tiró del animal.

—*Vaya, vaya** —dijo para tranquilizarlo.

Se puso de cuclillas y posó una mano sobre la cabeza de *Capitán* y otra en su dolorida sien. Nicolás enderezó la jarra y levantó el cartón para que el agua resbalara. Aunque no podía verlo, sabía que el suelo sediento de la cueva ya la había absorbido. Puso a un lado el cartón y abrazó el pescuezo de *Capitán*.

—Calla, *Capitán*, calla.

Fuera, la mitad del rancho había estallado, pero la cocina permanecía en pie. La granada y las descargas de los fusiles no habían desenterrado escondrijo alguno, así que el resto del escuadrón se acercó por el jardín vociferando improperios.

—Escucha —susurró Nicolás a su abuelo.

Más allá de la gran roca, peligrosamente cerca, se oían gritos y amenazas.

—¡Cabrones! ¡Hijos de puta! ¡Vamos a volarlos en pedazos!

Las amenazas convirtieron la protección de la cueva en

---

* En español en el original. *(N. de la T.)*

130

algo insustancial y peligroso. A Nicolás le silbaban los oídos a consecuencia del miedo. Retuvo a *Capitán*, pero el pellejo del animal escapaba de sus manos.

—Van a encontrarnos.

—Shhh, shhh —repuso su abuelo con una mano sobre el hocico de *Capitán* y la otra sobre su cabeza palpitante.

Tras convencerse de que el lugar estaba abandonado, los soldados se reunieron en el jardín.

—Estuvieron aquí, de eso no hay duda —dijo uno de ellos.

—Se nos escaparon por los pelos —añadió otro, señalando los rescoldos que todavía humeaban en la hoguera.

—No pueden estar muy lejos —dijo el jefe—. Llamen por radio al capitán.

El hombre que portaba la radio caminó hasta el porche más próximo y descargó el aparato sobre una mesa. Comprobó la calibración y efectuó el contacto.

—Listo, teniente.

El teniente se acercó y sostuvo el auricular.

—Teniente Galindo al habla, capitán. Mis hombres y yo estamos en lo alto de una montaña, a unas dos horas de El Retorno en dirección norte. Encontramos un campamento guerrillero abandonado. Parece que tenían un hospital de campaña. En la basura hay catres y material médico usado. No pueden estar muy lejos si transportan heridos. Una o dos horas como mucho. Valdría la pena que un helicóptero echara un vistazo.

El teniente facilitó al capitán las coordenadas del lugar. Muy pronto, el inquietante rugido del rotor de un helicóptero levantó a los pájaros de los árboles. Galindo lo oyó antes de que el aparato sobrevolase la montaña y apareciera sobre los árboles. Quedó suspendido por unos instantes sobre el rancho y luego efectuó un amplio giro hacia el oeste. Minutos más tarde se oyó un sonido de ametralladoras. Disparos continuos y prolongados. Silencio. Más disparos. Luego, una explosión. Y otra. Como la traca final de unos fuegos artificiales.

Galindo y sus hombres pusieron rumbo al oeste siguiendo las instrucciones del capitán: «El helicóptero encontró a los guerrilleros. Algunos han caído. Otros se dispersaron por las montañas. Lleve a sus hombres al lugar. Manténgame al tanto de lo que encuentre.»

VEINTIUNO

Lo que encontraron fue una carnicería. Siete muertos, entre ellos una mujer y un bebé sujeto a su espalda, un hombre envuelto en una hamaca como un trucha atrapada en una red, y dos hombres, sin duda sus porteadores. Había otra mujer con la tapa de los sesos levantada y la boca abierta. Tenía dos dientes de oro que resplandecían al sol. El séptimo cuerpo estaba irreconocible. Lo único evidente era que transportaba explosivos, hecho confirmado por una caja de corcho llena de bombas caseras encontradas en el camino y que había sobrevivido al ataque aéreo. Los cuerpos yacían juntos, mientras que un extraño revuelo de cosas salpicaba una extensión mucho más amplia: tortillas metidas en las ranuras de un generador, azúcar esparcido como polvos mágicos sobre baterías de comunicación. Un guante de goma descansaba como una mano lechosa sobre una caja atada con un cordel. Además de los cadáveres, imagen de por sí horrible, había sangre esparcida sobre ollas, sartenes y víveres. En medio del camino había una bolsa de harina abierta. La sangre la cruzaba y formaba un riachuelo rosa.

El teniente Galindo envió a su sargento y a dos hombres a reconocer el sendero, no más ancho que un carro de bueyes, y apostó cuatro hombres a ambos lados como precaución frente a un contraataque. Quedaban cinco soldados para registrar la zona en busca de más muertos o heridos e inspeccionar los desechos. A otros dos les había caído la tarea más fácil: quedarse en el campamento por si algún guerrillero retrocedía.

—Qué asco —murmuró Galindo mientras giraba sobre los talones.

—¿Por qué toda esta sangre tan lejos de los cuerpos? —preguntó un soldado.

—Parece que transportaban plasma —dijo otro, esta vez un sargento, al tiempo que recogía del suelo una bolsa de plástico con un líquido color orín.

Sostuvo brevemente la bolsa con dos dedos y la dejó caer. Luego la pisó con el tacón de la bota, pero el plástico no se rompió.

Registraron los bolsillos de los muertos en busca de información, pero no encontraron nada. Acto seguido procedieron a destruir los equipos e instrumentos que habían quedado intactos tras el ataque. Donde hizo falta, recurrieron a las bombas caseras. Dispararon contra el generador y las baterías utilizando la mínima munición posible. Con un golpe de culata seco y certero, el sargento hizo saltar los dos dientes de oro de la mujer. Tras frotarlos contra la pernera del uniforme, se los guardó en el bolsillo. Un soldado con cara de bulldog se agenció una guitarra. Cuando tuvieran un ratito libre en Tejutla, dijo, les deleitaría con una canción.

Tristemente, no encontraron fusiles ni otras armas, objetos que sí se habrían molestado en transportar.

—Seguro que esos cabrones sólo tenían *thirty-thirties* —dijo el sargento, pues había una popular canción guerrillera que exaltaba las virtudes de sumarse a la rebelión con tan antigua arma de fuego.

Cumplida la misión, el teniente reunió a sus hombres e informó por radio al capitán. Este les ordenó que volvieran al rancho para pasar la noche.

—Por la mañana regresen a Tejutla —dijo.

El teniente levantó un brazo para indicar que era hora de

partir. Calculó que llegarían al rancho al anochecer. En ese momento un niño pequeño asomó por detrás de una roca. Estaba llamando a su madre. Tenía un fusil en la mano.

A Nicolás le pareció que la última vez que había respirado había sido justo antes de que el helicóptero sobrevolara sus cabezas. Ahora reinaba el silencio. Su corazón se había calmado y podía volver a respirar. *Capitán* estaba tumbado. Un rato antes el Tata se había desplomado y ahora yacía acurrucado en el suelo como un bebé, con una mano en cada sien. Nicolás le palpó la frente.

—Tienes fiebre —dijo.

—Me estalla la cabeza.

—¿Tienes la sensación de que se te están partiendo los huesos?

—Sí.

—Cuando yo estaba enfermo me sentía igual.

Lo que Nicolás no dijo era lo mucho que le inquietaba que la fiebre del Tata alcanzara la temperatura que él había alcanzado, que la fiebre le quemara y acabara con su vida, hecho un ovillo en una cueva cada vez más oscura y sofocante. Nicolás introdujo una mano en la jarra y descubrió que todavía quedaba agua. La recogió con la lata que hacía de cazo e instó a su abuelo a beber. Más tarde, cuando oscureciera y la noche fuera su aliada, bajaría al río para recoger agua.

—*Gracias, hijo** —dijo el Tata, y bebió. Luego se tumbó, de nuevo con las manos sobre la cabeza.

Nicolás se acercó a la estatua y regresó con ella al lugar donde había estado sentado. Se la colocó sobre el regazo y la rodeó con los brazos para que reposara contra su corazón. Quería rezar. Su madre le había enseñado a rezar cuando tenía miedo, pero ahora sólo le venían a la mente las mismas palabras de siempre: Santa María, Madre de Dios.

* En español en el original. *(N. de la T.)*

135

Permaneció sentado así, totalmente inerte, con la cabeza apoyada contra la pared y los ojos fijos en la oscuridad. Buscó en vano algo que rezar. De súbito, una idea sorprendente brotó en su mente y salió a borbotones de su boca: «Soy un león en una cueva», se dijo. Como si fuera una letanía, se sintió impulsado a repetir las palabras, y mientras lo hacía la estatua se calentó entre sus brazos. Muy pronto le calentó el pecho. Nicolás alzó a la Virgen. La examinó en la penumbra, pero no había nada diferente en ella, sólo su creciente temperatura, como si los rayos de luz que le había visto proyectar se expandieran hoy hacia su interior.

Aliviado por el calor de la estatua, Nicolás se durmió. Al cabo de un rato las ranas del río le despertaron. La oscuridad en la cueva era absoluta. Notó el peso de la estatua en su regazo. La palpó pero se había enfriado. Mientras la apretaba contra su corazón, sintió la presencia de su abuelo.

—Tata, ¿estás despierto? —preguntó en voz baja.

—Tenía sed y bebí un poco de agua. Todavía queda, si quieres.

—No, gracias. —Nicolás no tenía hambre ni sed—. ¿Amaneció ya? —preguntó, porque su abuelo podía saber qué hora era por el sonido de las ranas.

—Todavía no.

—¿Crees que los soldados se fueron?

—Puede.

—¿Te encuentras mejor, Tata?

—Sí.

—¿Sabes una cosa? Soñé con la Virgen. Soñé que la estatua estaba muy caliente y que calentaba mi corazón. —Nicolás dijo que era un sueño, pero él sabía que no lo era.

—Qué sueño tan bonito.

Nicolás asintió.

—¿Sabes otra cosa? Soñé con un león. Soñé que yo era un león en una cueva.

Era Nuestra Señora quien había puesto las palabras en su boca. Eso también lo sabía.

—Otro sueño bonito. Los leones son valientes y fuertes. Tú eres un muchacho valiente y fuerte.

Nicolás sonrió, contento de que su abuelo pensara eso de él.

—Vuélvete a dormir —dijo el Tata—. Pronto amanecerá.

Nicolás abrió los ojos y vio una rendija de luz gris entre la roca y la boca de la cueva. Fuera, los pájaros entonaban su canto matutino. Se sentó y se frotó los ojos. Divisó la silueta del Tata tumbada de costado, cerca de *Capitán*. Ambos roncaban de forma suave y acompasada. La estatua se le había caído de las manos y tanteó el suelo hasta dar con ella. Al devolverla a la hornacina, su mano tropezó con el león de madera que le había tallado Basilio Fermín. Sorprendido por la coincidencia, se guardó el león en el bolsillo, junto a su navaja suiza. Soy un león en una cueva, pensó. Soy valiente y fuerte. Necesitaba las palabras y el talismán a fin de reunir valor para hacer lo que tenía que hacer. Antes de que el día aclarara en exceso, debía bajar al río para recoger agua. Agarró su machete y el cubo de pescar turquesa del Tata. Por el camino, repitió la letanía mentalmente: Soy valiente. Soy fuerte. Soy como un león. Cada palabra que pronunciaba le daba ánimo.

Había llenado el cubo cuando le entraron ganas de ir de vientre. Dejó el cubo en el agua y se alejó del río. Había un arbusto cerca. Colocó el cuchillo en el suelo, se bajó la cremallera, se puso de cuclillas e hizo lo que tenía que hacer. Arrancó un puñado de hojas del arbusto y se limpió.

Se estaba abrochando el cinturón cuando notó el cañón de un fusil contra la espalda.

—Mira lo que tenemos aquí —dijo alguien.

VEINTIDÓS

El cabo empujó a Nicolás con su M-16 para que echara a andar por el camino que llevaba al rancho. Nicolás mantenía los brazos en alto. No podía creer que, por segunda vez y casi en el mismo lugar, le hubieran echado el guante. Su pulso se aceleró. El cuero cabelludo le presionaba el cráneo. Cuando llegó al claro, vio que el rancho estaba destruido. Donde antes estaba el tejado bajo el que dormía, ahora se veía la montaña que había detrás, la silueta de los árboles y un trozo de cielo. Nicolás desvió la mirada de las ruinas, del olor a pasado que desprendían. Se imaginó al Tata despertando en la cueva. El Tata descubriendo que él no estaba. El Tata saliendo a buscarle.

—Mire lo que encontré, mi teniente —dijo el soldado conduciendo a Nicolás hacia el centro del jardín donde se hallaban reunidos los hombres.

—¿Dónde estaba? —preguntó el teniente.

—En el río.

—¿Quién eres? ¿Cómo te llamas?

A Nicolás le daba vueltas la cabeza. Por un instante pensó en inventarse una historia, pero el esfuerzo era demasiado abrumador. Decidió decir la verdad, aunque no por entero.

—Nicolás de la Virgen Veras, mi teniente. —Utilizó el cargo que había pronunciado el soldado. Y para darse ánimos, dijo el nombre de Nuestra Señora.

—¿De dónde eres?

—De aquí. Esta es mi casa. —Con los brazos todavía en alto, Nicolás señaló el rancho con un dedo.

—¿Dónde está tu familia?

Qué pronto habían llegado al punto donde la verdad necesitaba recortes, donde se requería prudencia.

—Antes de que llegara la guerrilla sólo vivíamos en el rancho mi abuelo y yo, teniente.

Nicolás contuvo la respiración, temeroso de las repercusiones que pudiera generar esa información. Agradeció que la tenue luz no alcanzara a iluminar la expresión de su rostro. Y que él tampoco pudiera distinguir el semblante del teniente. Apartó de su mente la imagen del Tata dormido en la seguridad de la cueva.

—Entonces reconoces que la guerrilla estuvo aquí.

—Sí, teniente. Construyeron porches y catres para los heridos. Hace unas semanas subieron y tomaron el rancho. Mi abuelo y yo no tuvimos elección. —Le sorprendió la facilidad con que podía decir la verdad, el hecho de que no hubiera vacilado ni un momento.

—Mmm… —dijo el teniente mientras reflexionaba sobre la confesión—. ¿Dónde está tu abuelo?

Virgen santa, pensó Nicolás. Soy valiente. Soy fuerte. Soy como un león. Necesitaba todo el poder de Nuestra Señora para salvar ese obstáculo.

—Se lo llevó la guerrilla, mi teniente. A mí también, pero me escapé.

—¿Cuándo?

—Ayer. La capitana Dolores oyó por la radio que se acercaba el ejército. Dio la orden de partir. Dijo que mi abuelo y yo teníamos que irnos con ellos, pero nosotros queríamos quedarnos.

—¿La capitana Dolores?

Nicolás asintió.

—Ella era la jefa.

—¿Qué dirección tomasteis?

—Nos fuimos por allí. —Nicolás señaló el punto donde había visto desaparecer a los últimos guerrilleros bajo los árboles. Le dolían los brazos de tenerlos en alto. Los bajó lentamente y los apoyó en la cabeza—. Mi abuelo ayudaba a transportar la hamaca de un herido. Cuando el helicóptero llegó y empezó a disparar, eché a correr por el bosque, pero mi abuelo se quedó atrás. Verá, mi teniente, el pobre está muy viejo.

—¿Cuándo vino el helicóptero?

Esto es una prueba y, si no la paso, estaré perdido, pensó Nicolás.

—Por la tarde, cuando el sol bajaba. Eché a correr hacia el bosque y bajé hasta el río. Podía oír los disparos. También oí explosiones.

Nicolás rezó para que el teniente no le hiciera más preguntas sobre ese detalle, pues había oído lo que creyó explosiones cuando estaba oculto en la cueva. Rezó para que no le preguntara por qué no había regresado al lugar del asalto cuando hubo terminado. ¿Qué diría si el teniente le preguntaba eso?

—¿Explosiones? —preguntó el teniente—. ¿Qué explosiones?

Nicolas levantó los hombros.

—No lo sé. A lo mejor el helicóptero se estrelló. —Como no conocía la causa, fue lo único que se le ocurrió decir. Para desviarse del peligroso tema, añadió—: Anoche me escondí en la maleza. Luego seguí el río para volver al rancho. Pensaba que mi abuelo ya estaría aquí. Le esperaré hasta que llegue.

—No creo que tu abuelo aparezca por aquí en los próximos días —dijo el sargento.

—Nos vamos a Tejutla. El muchacho se viene con nosotros. —El teniente giró sobre sus talones.

—Podría enviarlo al otro mundo para que no sea un estorbo —propuso el sargento.

El teniente se volvió rápidamente.

—¿No le alcanzó con el que se cargó ayer, Molina?

Molina se cuadró.

—Lo siento, mi teniente.

—El muchacho tiene información. Se lo llevaremos al capitán para que le interrogue. —El teniente hizo una pausa y luego ordenó—: Queme toda esta porquería.

Nicolás bajó las manos al ver su rancho envuelto en llamas. El fuego consumió todos sus tesoros, las dos habitaciones que contenían su vida y sus sueños, el cobertizo de la cocina ennegrecido por el hollín de tantas lumbres. Hasta el copinol bajo el que solía sentarse a descansar, a afilar su machete, a acariciar las orejas de *Capitán*. Cuando las hojas del árbol temblaron y se retorcieron, gimió y, ajeno a todo, corrió hasta él y tiró del banco que llevaba años morando allí. Estaba sentado en él cuando su madre había llegado con las botas nuevas, cuando había calmado su temor a la Ziguanaba. Dejó el banco en el suelo, delante de los soldados. Por un instante no le importó que le hicieran lo que el sargento había propuesto. Se alegraría de ser enviado al otro mundo, a un lugar donde el rancho estuviera para siempre al abrigo de la montaña, donde el Tata dormitara plácidamente en su hamaca, donde su madre y él se sentaran a la sombra, el brazo de ella sobre su hombro, la risa de ella una feliz melodía para sus oídos.

VEINTITRÉS

Lo llevaron a Tejutla, al cuartel del ejército ubicado en el centro de la ciudad. Cuando llegaron, el teniente, seguido de Nicolás, cruzó los amplios porticones (permanecían abiertos durante el día, pero con un soldado apostado a cada lado), atravesó un breve vestíbulo y dobló a la izquierda hasta el despacho del capitán.

El teniente saludó a su superior.

—Mire lo que encontramos en las montañas, mi capitán. El muchacho estaba con la guerrilla. Puede que sepa algunas cosas.

Expectante y receloso, Nicolás se quedó de pie frente al capitán, una muralla de carne que se elevaba detrás del escritorio. El cuello era tan grueso que desaparecía en los hombros, adornados con dos galones dorados. Nicolás echó una rápida mirada a la estancia: los archivadores, las mesas repletas de papeles, la radio de comunicaciones y sus liosos cuadrantes, un ventilador negro. De la pared colgaba una enorme fotografía enmarcada del presidente de El Salvador.

—¿Cómo te llamas? —preguntó el capitán.

—Nicolás de la Virgen Veras, capitán.

—¿Y cuántos años tienes, Nicolás?

—Nueve. En junio cumpliré diez.

—¿Qué hacías en las montañas?

—Vivo allí con mi abuelo.

Nicolás repitió la historia. Mientras hablaba era muy consciente de la presencia del teniente, todavía detrás de él, junto a la puerta, así que soltó la información con cautela, asegurándose de no dejarse nada y de no añadir nada.

—Háblame de la guerrilla —dijo el capitán.

Detrás del escritorio y ligeramente hacia un lado había una ventana con barrotes abierta a la calle. Desde donde estaba, Nicolás podía ver el cruce. Podía ver los bidones de petróleo Esso formando una barricada entre las dos aceras. Podía ver la espalda del soldado apostado en la esquina, las correas cruzadas de su bandolera, las abultadas cartucheras que le colgaban del cinturón a ambos lados de la cadera. Podía ver el M-16 suspendido del hombro, la cúpula deslustrada del casco.

—Como ya dije, hace unas semanas subieron a la montaña y tomaron el rancho.

—¿Cuántos?

Aunque estaba agotado, Nicolás cuadró los hombros porque este era su momento. Debía ganarse a ese hombre con información valiosa.

—Eran treinta, capitán. Veinte hombres y diez mujeres. La jefa se llamaba Dolores. También la llamaban capitana.

—¿Qué arma llevaba?

—Una que llamaban M-16.

—¿Y los demás?

—También. Puede que unos ocho. Y tenían un radio de onda corta, pero no tan buena como la suya. —Nicolás señaló la radio con el mentón—. Tenían un generador de electricidad. Utilizaban la electricidad para alumbrar la habitación cuando el médico operaba.

—¿Un médico operaba?

—Sí. Se llamaba Félix. Operó a tres hombres, pero uno murió. Le habían disparado en la pierna y era difícil mantener las moscas a raya. Tenía hasta gusanos.

El capitán hizo un gesto de asco.

—¿Qué me dices de los explosivos?

—Fabricaban bombas.

Nicolás se detuvo ahí por temor a imaginar con demasiada viveza al Tata sentado bajo el porche con las manos oliéndole a fósforo, por miedo a que los oficiales pudieran ver lo que él veía en su cabeza.

—¿Qué clase de bombas?

—Unas bombas hechas con botellas, velas, cerillas y gasolina.

—Molotovs —dijo el capitán.

Nicolás no comentó nada porque desconocía esa palabra, pero prosiguió.

—Construyeron porches y catres para los heridos. Daban clases para enseñar el alfabeto. Pasaban mucho rato mirando unos mapas enormes.

—¿Recibían instrucciones e información a través de la radio?

—La radio tenía muchas interferencias. Hablaban por ella, pero yo no podía entender lo que decían.

El capitán guardó silencio unos instantes. Luego preguntó:

—¿Qué más hacían?

—Casi todo el tiempo descansaban.

—¿Descansaban?

—Sí. La capitana Dolores dijo que eran sus vacaciones.

Los dos oficiales rieron. El capitán dijo:

—¿Y para ti? ¿Fueron unas vacaciones para ti?

—No, capitán. Yo tenía que traer agua del río, cubos y cubos de agua. Ayudaba a la cocinera. Se llamaba Carmen. También ayudaba con los heridos. A veces tenía que quedarme de pie al lado de los catres y espantar las moscas con un trozo de estera. Las heridas eran muy feas, capitán. No olían bien, sobre todo la que tenía gusanos.

El capitán hizo otro gesto de asco, zanjó el tema y disparó dos preguntas.

—¿Dónde está tu madre? ¿Cómo se llama tu abuelo?

Nicolás se hallaba al borde de un precipicio, y de no haber estado preparado las preguntas podrían haberle empujado al vacío. Pero estaba preparado. Durante el viaje a Tejutla había ensayado la historia que iba a contar.

—Mi abuelo se llama don Tino Veras. Es viejo. Tiene sesenta y seis años. Ha vivido en el rancho toda su vida. Yo he vivido siempre con él. Mi madre murió cuando yo nací, y desde entonces Tata y yo vivimos solos en el rancho cultivando maíz y frijoles, y mijo en el río. Antes de que llegara la guerrilla nuestra vida era tranquila. Después todo cambió. La guerrilla se llevó a mi abuelo.

Nicolás agachó la cabeza. No tenía que fingir tristeza. El simple hecho de mencionar a su madre y su abuelo le hundió los hombros. Notó los ojos llorosos.

—Tengo que volver al rancho, capitán. Tengo que esperar allí a que regrese el Tata.

Como si buscara una vista más amplia, el capitán se recostó en su butaca.

—No me parece una buena idea. Y deja que te diga otra cosa. Creo que eres un muchacho valiente por estar aquí confesando lo que has vivido. Dices que tú y tu abuelo pasaron un tiempo con la guerrilla. Dices que fue a la fuerza. Que tomaron el rancho de ustedes. Pues deja que te diga que eso es cuestionable. Yo estoy bastante seguro de algunas cosas. Estoy seguro de que cuando un ciudadano convive con la guerrilla, lo hace voluntariamente. Te aseguro que si ese abuelo tuyo, ese Tino Veras, sobrevivió al ataque del helicóptero, ahora mismo está en las montañas. Viejo o no, un guerrillero es un guerrillero. Ese abuelo tuyo no regresará al rancho. Créeme. Si sobrevivió, él y el resto de sus camaradas se habrán adentrado en las montañas, donde permanecerán tranquilos durante un tiempo. Se dedicarán a atender a los heridos, porque, créeme, después del ataque ese doctor Félix que mencionaste va a estar muy atareado. Eso si salvó el pellejo. ¿Entiendes lo que digo?

Nicolás asintió. La cabeza le daba vueltas. Un ataque aéreo. Muertos. Heridos. El capitán creyendo que el Tata era un guerrillero. Nicolás tenía que recordarse continuamente que

146

el Tata estaba vivo. El Tata no era un guerrillero. El Tata estaba en la cueva.

—Y eso nos lleva a ti. —El capitán apretó su enorme torso contra el escritorio—. Es un hecho que hasta los niños como tú pueden ser guerrilleros. No puede ser de otra forma si las familias y los amigos apoyan a la guerrilla. ¿Y qué ejemplo es ese? Yo te lo diré: un malísimo ejemplo, eso es lo que es. —Se reclinó de nuevo en su asiento—. Okey. El caso es que ahora estás con nosotros y es posible que te estés preguntando qué vamos a hacer contigo. Buena pregunta. —Esbozó una leve sonrisa—. Nicolás de la Virgen Veras, hoy es tu día de suerte. ¿Por qué? Porque hoy me siento generoso. Porque hoy siento lástima por un muchacho que ha estado viviendo un mal ejemplo. Por tanto, me encargaré de que tengas una segunda oportunidad. —Sonrió una vez más. Esta vez el labio superior se tensó sobre la dentadura—. Para ello, te retendremos aquí y cambiaremos tu vida. Aquí, con nosotros, recibirás un ejemplo diferente. No es cierto, ¿teniente Galindo?

—Sí, mi capitán —respondió el teniente desde la puerta.

El capitán prosiguió.

—Probablemente no lo sepas pero, contrariamente a lo que puedas haber oído, el Ejército Nacional es disciplina, orden y obediencia. Ofrece a sus miembros una forma de vida diferente. ¿Entiendes lo que digo?

Nicolás asintió.

El capitán se inclinó hacia adelante y afiló la mirada.

—Pero déjame decirte algo más sobre el ejército. El ejército no tolerará subversores, ni informadores ni anarquistas. No tolerará desafectos con ideas militantes. No tolerará idealistas, ni soñadores ni reformistas que quieran cambiar el mundo. El ejército es implacable con los agitadores. Te ahorraré los detalles desagradables, Nicolás de la Virgen Veras. Presta atención a lo que te digo: te damos esta oportunidad para que mejores tu penosa vida. Si te pillamos hablando con alguien sospechoso, si te pillamos intrigando o tratando de escapar, el

Ejército Nacional al completo se te echará encima como un buitre. No será nada agradable, ni para ti ni para la persona con la que te pillemos intrigando. ¿Hablé con claridad? ¿Entiendes lo que digo?

—Sí, capitán.

Lo que Nicolás entendía era que, después de todo, había caído al vacío. Para terminar, el capitán se dirigió al teniente.

—Encárguese de que coma y se lave. Luego póngalo a trabajar.

Al salir del despacho, Nicolás tomó una decisión. Escaparía de ese lugar en cuanto le fuera posible. Ignoraba cómo, pero de una cosa estaba seguro: estaba dispuesto a todo con tal de conseguirlo. ¿Acaso no era un león?

Mientras los soldados almorzaban en el comedor, cuya puerta daba al patio, Nicolás comía en una mesa de la cocina de la que Ofelia era cocinera y comandante suprema. Alta y flaca, debía de tener la edad del Tata, pensó Nicolás. Llevaba su pelo canoso recogido en un moño sobre la nuca. Salía y entraba majestuosamente con fuentes repletas de plátanos fritos, arroz con frijoles, calabacitas rellenas de queso y trozos de carne en salsa. Ordenó a Silvia, la joven que limpiaba y ayudaba a servir, que prestara más atención a la comida y menos a un soldado llamado Vidal y apodado el Chucho porque tenía la nariz aplastada como un bulldog. Mientras trabajaba, Ofelia mantenía una conversación constante con quienquiera que tuviera delante, adaptando el tema según la situación. Cuando le llegó el turno a Nicolás, le habló como si le conociera de toda la vida.

—Cómete la carne. Voy a poner un poco de grasa en ese cuerpo descarnado.

Nicolás no respondió. Ya había dicho cuanto tenía que decir. No recordaba un día en que hubiera hablado tanto como hoy. De hecho, estaba agotado de tanto hablar, de tanto explicarse e intentar mantener el juicio. Así y todo, no estaba tan cansado como para no obedecer a Ofelia. Cuanto contenía su plato estaba delicioso y constituía una revelación. ¿Cuándo había comido algo que no fuesen tortillas, frijoles y arroz, tal vez un trozo de queso o un huevo frito? ¿Cuándo había disfrutado de algo más que un pollo flaco en ocasiones muy especiales? Aquí, hasta las tortillas eran más gruesas y sabrosas. Llenó un trozo con carne. Se disponía a llevárselo a la boca cuando Ofelia le vio. La mujer se detuvo en seco, se acercó a la mesa y levantó un tenedor que había colocado junto al plato de Nicolás.

—Esto es un tenedor —dijo, poniéndoselo en la mano—. Ahora estás en el ejército. Úsalo. —Rodeó la mesa y añadió—: Cuando termines, te entregaremos a Chabela.

Ofelia se fue al comedor, dejando su último comentario flotando en el aire. Cuando irrumpió de nuevo en la cocina, prosiguió:

—Chabela te lavará la ropa. ¿Te das cuenta de lo sucia que está? —Arrugó la nariz—. ¿Cuándo fue la última vez que te diste un buen baño?

Y se marchó de nuevo, dejando a Nicolás en suspense. ¿Insinuaba que necesitaba un baño?

Nicolás se inclinó de nuevo sobre su plato. Pinchó un trozo de carne y lo mordió. El metal del tenedor le resultó extraño en la boca. No porque fuera la primera vez que utilizaba un tenedor. No era ningún salvaje, pero no estaba acostumbrado. Tenía unas manos con las que comer, ¿o no? Entonces pensó que si iban a lavarle la ropa, tendría que quitársela, y eso le generó cierta inquietud. ¿Con qué iba a taparse entretanto? No esperarían que se quedara desnudo, ¿verdad? Al pensar en su ropa, recordó las cosas que tenía en el bolsillo: los dos billetes de un colón, el león de madera y la navaja suiza. Colocó una mano sobre el bolsillo, presa de una angustia aún más intensa. No podía permitir que supieran que tenía esas cosas, sobre todo la navaja. Tenía que esconderlas. Y tenía que hacerlo deprisa, antes de que esa Chabela le echara el guante.

Esa noche, después de haber guardado el contenido de su bolsillo en el reborde interno de la mesa de la cocina, después de que Chabela, para su sorpresa, le hubiera entregado ropa limpia (de su hijo, le explicó) y de experimentar la novedad de lavarse bajo una ducha de agua corriente, después de que le hubieran descrito y asignado sus tareas, después de que las puertas del cuartel se hubieran cerrado y los soldados acostado en treinta y tantos catres dispuestos en hileras, después de que las luces se apagaran y sólo se·oyeran los ronquidos de los hombres y los pasos de los dos centinelas, sólo después de todo eso Nicolás se tumbó en un petate cerca de la puerta abierta del dormitorio. Le habían ofrecido un catre, pero no lo quiso. Aunque nunca había estado tan cansado, no podía dormir.

Diez años antes, el cuartel había sido una espaciosa casa particular de una planta, con un gran patio rodeado por una galería embaldosada como pieza central. En aquellos tiempos, el patio, flanqueado por altos muros, contenía una fuente, rosales y gardenias, una magnolia, un mango y un jabí. Las flores brindaban al aire elegancia y aroma. Unos canarios alojados en delicadas jaulas de caña suspendidas de los árboles alegraban las mañanas con su canto. Cuando el ejército tomó la casa, tales placeres fueron sacrificados por el bien de los deberes militares: un patio desnudo para izar la bandera, pasar revista y practicar calistenia. Porque daba fruta y sombra, sólo el mango sobrevivió. En el ejército, la utilidad era una cualidad muy valorada.

Nicolás contempló el patio desde su petate. La farola de la calle sobrepasaba el muro e iluminaba el árbol y los dos pastores alemanes tumbados a sus pies. Se llamaban *Príncipe* y *Princesa*. Nicolás no podía diferenciarlos. Eran dos perros robustos, negros, salpicados de pelaje claro y con un collarín en el cuello. Después de la cena, mientras los soldados estaban en la galería limpiando sus fusiles, Nicolás se había sentado en el borde del patio y había observado a los hombres y los perros, la distribución del espacio. Deseoso de pasar desapercibido, había permanecido inmóvil, permitiendo que los perros se acercaran a olfatearle.

Ahora se arrastraba lentamente hacia la galería junto con el petate. Necesitaba a su madre, a su abuelo. Al pensar en ellos, tan lejos e inalcanzables, sintió una punzada en el pecho. Avanzó poco a poco hacia el árbol y el consuelo familiar del pelaje cálido. Los perros le vieron acercarse, las orejas tiesas, los ojos vigilantes. Pegado al suelo para no alarmarlos, Nicolás murmuró «Vaya, vaya», como habría hecho el Tata.

VEINTICUATRO

Desde su llegada una semana antes, cada vez que Nicolás se despertaba a toque de trompeta o se alineaba con los soldados para pasar revista, cada vez que tenía que hacer con ellos flexiones o saltos, o levantar una mano para saludar a los oficiales o inclinar la cabeza sobre sus botas para sacarles brillo, cada vez que ocurrían estas cosas, su mente se llenaba con la cara de su abuelo y sentía como si el Tata le pidiera que regresara a casa. Cuando eso ocurría, Nicolás imaginaba la pizarra de la escuela y a la señora Menjívar pidiéndole que utilizara el borrador para limpiarla. Eso mismo hacía con la cara del Tata, con la cara de su madre, suspendidos en su mente como fantasmas. No debía pensar en la separación y el hogar. Debía concentrarse en buscar la forma de escapar.

Hoy Nicolás estaba trabajando en la cocina con Ofelia. Más tarde iría con ella al mercado para ayudarle a cargar las cestas de alimentos. Después de eso fregaría el suelo de la galería y barrería y regaría las aceras. Apenas había pasado una semana y sus tareas ya eran numerosas. Los oficiales exigían y esperaban de él que las cumpliera y colaborara. En el ejército no existía el lujo de un período de adaptación.

—No entiendo por qué duermes con los perros —estaba diciendo Ofelia.

Desde hacía unos días no hablaba de otra cosa. Se había

asignado el papel de madre de todos; era la clase de mujer que no necesitaba una invitación para dar consejos. Estaba frente al fogón revolviendo cebolla picada y tomates en una sartén. La verdura silbaba y chisporroteaba en la manteca desprendiendo un delicioso olor.

—Los perros me gustan —se defendió Nicolás.

Fue a la despensa a buscar frijoles. Tiró de un cordel y se encendió la luz. La estancia olía a maíz y polvo de frijol. A lo largo de las paredes había estantes con utensilios de cocina y provisiones. Desde allí podía oír a Ofelia hablar todavía de los perros.

—Los perros son perros —le escuchó decir.

Nicolás sacó el saco de frijoles del estante y lo colocó con cuidado en el suelo. Lo abrió y hundió un cazo bien adentro, atento al ruido agradable de los frijoles al rodar por el metal. Una vez lleno el cazo, se disponía a devolver el saco a su lugar cuando vio algo extraño en el fondo del estante. Volvió a dejar el saco en el suelo. Alargó un brazo para palpar la pared y notó una protuberancia, como una juntura. Retrocedió y levantó la vista. La juntura subía por la pared y de vez en cuando desaparecía detrás de los víveres. A unos centímetros del techo giraba y proseguía horizontalmente durante un metro para luego volver a descender. Sé qué es eso, se dijo. Es el marco de una puerta.

—¿Qué haces? —dijo Ofelia desde la cocina—. ¿Te caíste en el saco?

Nicolás terminó presurosamente su labor. Ofelia estaba delante del fogón apartándose un mechón de la frente.

—Como te decía —prosiguió—, eres un niño. Los niños no deben dormir con perros.

Nicolás se encogió de hombros, pues no sabía qué responder a un comentario como ese. Se sentó en un taburete, frente a la mesa, y se puso a limpiar de tierra y piedrecitas los frijoles. Alzó la medalla de la Virgen Milagrosa que le colgaba del cuello y la chupó. La medalla era la única pertenencia que se atrevía a mostrar a los demás. Creía que Nuestra Señora impedía que se la confiscaran. El león tallado, la navaja suiza y el dinero estaban ahora ocultos en un boquete del mango. Había descubierto el escondite cuando los perros le hicieron un sitio. ¿Y qué si dormía con los perros? Los perros le brindaban protección y consuelo.

La fascinante novedad de su entorno no conseguía hacerle olvidar su aflicción. Tampoco la casa con sus brillantes suelos y sus gruesos muros de adobe, ni la miríada de habitaciones para dormir y comer, ni siquiera las dos estancias para hacer las necesidades y lavarse. Ni el ambiente acogedor de la cocina, ni el ingenioso aparato con los anillos de hierro que precisaban simplemente el giro de una llave para que saliera la llama. Ni siquiera el frigorífico, un artilugio tan impresionante como el que había visto en la casa lila del señor Alvarado. Cuando Nicolás y los soldados llegaron a la ciudad, pasaron por delante de la casa lila. Se hallaba a sólo dos cuadras del cuartel. Ver la casa no lejos de allí, y la farmacia El Buen Pastor con el dibujo de Jesús y los corderos sobre el dintel, y la oficina de correos en la esquina, el lugar de donde había partido la carta para su madre, todo ello había aumentado su desconsuelo y su deseo de escapar. Pero allí estaba, sentado en un taburete de la cocina de Ofelia, el rostro inexpresivo y la mente atareada en apartar los pensamientos que pudieran delatarle.

—Escucha eso —dijo Ofelia, refiriéndose al ruido que llegaba del otro lado del patio—. ¿Quién puede cocinar con eso? —Miró la puerta por encima del hombro—. Ciérrala, Nicolás.

Al acercarse a la puerta, Nicolás divisó la habitación situada al lado de la oficina que servía de sala de interrogatorios. El ruido venía de allí. Gritos, golpes, gemidos, alguien luchando por respirar. Esa mañana un grupo de soldados había traído a un hombre sospechoso de actividades subversivas. El hombre estaba sucio y mojado, descalzo. Tenía los pulgares atados a la espalda con una cuerda de henequén. Había pasado más de una hora en la oficina, delante de la mesa del capitán Portillo. En aquel momento Nicolás se encontraba fregando el suelo de la galería y cada vez que pasaba por delante de la puerta echaba un rápido vistazo al interior. Y en cada ocasión sus ojos tropezaban con lo mismo: los dos pulgares del hombre cada vez más hinchados y morados. Las preguntas del capitán le asustaban: «¿Cómo te llamas? ¿De dónde eres? ¿Quién financia tus actividades? ¿Quiénes son tus camaradas? ¡Dime sus nombres si no quieres que…!»

Nicolás cerró la puerta y siguió limpiando los frijoles.

Al cabo de un rato dijo:

—¿Qué cree que le ocurrirá?

Ofelia había retirado la sartén del fuego. Los tomates y las cebollas estaban lánguidos y habían soltado todo su jugo. Ahora la mujer estaba sentada a la mesa, arrancando los extremos de las judías verdes.

—Quién sabe —contestó.

Permanecieron callados durante un rato, absortos en los gemidos ahogados, el crujir de las judías, el murmullo de los frijoles al girar en el cuenco.

—Pero una cosa sí sé —dijo finalmente Ofelia—. Si yo fuera ese hombre, lo contaría todo.

VEINTICINCO

Había soñado que escapaba, y ella había vuelto a hablarle. La noche pasada la Virgen Milagrosa había aparecido en su sueño. Estaban en la despensa, que era pequeña como una cueva. Ella estaba sobre el estante, como en su hornacina. Los rayos de sus manos iluminaban la pared y las junturas de la puerta enyesada. Sobre la juntura superior se leía ENTRA POR AQUÍ. En el sueño, Nicolás pronunciaba las palabras en alto: «Entra por aquí.» La impresión que le produjo el mensaje le despertó. Permaneció quieto, bajo el mango, mientras el corazón le palpitaba. Nuestra Señora le había hablado de nuevo. Le había mostrado el camino.

Ahora le tocaba averiguar qué había al otro lado de la puerta, qué encontraría cuando rompiera el yeso. Investigarlo no sería tarea fácil. Dentro del cuartel apenas disponía de oportunidades para explorar. Tenía muchas obligaciones y ocupada cada hora del día. Además, temía los ojos del capitán y del teniente, capaces de aparecer en cualquier lugar en cualquier momento. Fuera, veinticuatro horas al día había un soldado vigilando cada esquina de la calle. Durante el día, dos hombres montaban guardia en la entrada frontal y dos en la puerta de atrás. Todos iban armados. Todos reparaban en él cada vez que aparecía. Le vigilaban mientras barría la galería y regaba la acera. Le vigilaban cuando limpiaba los zapatos.

En la cocina, le vigilaba Ofelia. Y también Silvia, cuando le ayudaba a poner la mesa en el comedor. Y en el mercado, la cocinera jamás le perdía de vista. A veces Nicolás contemplaba a Ofelia, su rostro sereno y maternal, y sentía la necesidad de subirse a su regazo y contarle su historia. Pero cuando sentía ese anhelo, notaba una instintiva alarma interior y pensaba: no será soldado, pero trabaja para ellos.

Era por la mañana y Nicolás estaba regando la acera. Al otro lado de la calle el sol asomaba por encima de los edificios: la casa de comidas con las mesas abarrotadas ya de gente; el zapatero; la funeraria llamada El Porvenir. Estos dos últimos negocios aún no habían abierto, pero los empleados estaban barriendo sus respectivas parcelas de acera con una escoba de juncos. Las escobas siseaban rítmicamente. Nicolás subía y bajaba la manguera. Le gustaba sentirla en las manos, notar el chorro continuo del agua. Un auténtico milagro si lo comparaba con cargar cubos desde el río. Nicolás colocaba el pulgar en el orificio de la manguera y lo movía para cambiar la presión y la dirección del agua: unas veces un chorro grueso, otras una lluvia fina que formaba un maravilloso arco iris bajo el sol. Se había quitado las botas y los calcetines, pues prefería el contacto de los pies con la acera caliente. A veces el agua no parecía agua, sino algo sedoso, como un manto. En casa, el río Sumpul a veces le producía la misma sensación. Sobre todo en la cascada, cuando estaba solo, sentado en la piedra plana meditando.

Nicolás llegó a la esquina donde se encontraba apostado Vidal. A Vidal lo llamaban el Chucho por su cara aplastada, pero Nicolás nunca le llamaba así. Le llamaba «señor oficial», como a todos los soldados. Cada noche, tumbados bajo el mango, Nicolás y los perros veían a Vidal salir del dormitorio y dirigirse a la letrina. Luego le veían regresar. Esta mañana Nicolás le saludó con la cabeza. Por suerte para Vidal, su puesto se hallaba justo delante de la tienda de la niña Rocío, de modo que siempre podía recurrir a una coca-cola helada cuando el sol le quemaba la garganta. La tienda era el único negocio que compartía la manzana con el cuartel. Cuando el ejército se mudó, decidió que su ubicación era providencial: los hombres sólo tenían que andar unos metros para abastecerse de cigarrillos, cómics de acción y revistas de destape. La tienda era buena para la moral.

Nicolás dirigió la manguera a otro tramo de acera. El agua lo volvió negro como las piedras del río. El sonido de un tintineo metálico llamó su atención. Dirigió la vista a la acera contraria de la siguiente manzana, donde estaba la tienda de carteles. La propietaria acababa de abrir las dos puertas metálicas. En una de ellas colgó imágenes gigantes de Rocky, el boxeador cinematográfico, y de Raquel Welch, la sirena. En la otra colocó imágenes de Jesús y san José. Eso está mucho mejor, pensó Nicolás.

Tras dejar la acera impecable, pasó frente a los centinelas y entró en el patio. Cerró el grifo y tiró de la manguera. Desde esa posición gozaba de una buena vista del cuartel y de los soldados reunidos en el comedor terminando su desayuno. Los fusiles descansaban en los armeros del suelo, las cabezas se inclinaban sobre los platos. Ofelia y Silvia iban de un lado a otro con bandejas de huevos fritos y de frijoles y arroz. Nicolás nunca había visto tanta comida, jamás había comido platos tan abundantes. Abrió de nuevo el grifo y arrastró la manguera por la amplia abertura que separaba el patio principal del patio trasero. Aquí trabajaba Chabela, generalmente arqueada sobre el lavadero, haciendo rodar una pastilla de jabón amarillo sobre el uniforme de algún soldado. Nicolás la saludó con la mano. En ese momento estaba apoyada en el marco de la puerta de la cocina fumando, la otra actividad que ocupaba su tiempo.

—Nicolás —dijo mientras el humo salía ondulante de su labio inferior.

Con el pulgar en el orificio de la manguera, Nicolás disminuyó la presión del agua al rodear el todoterreno del capitán y cruzar la puerta que daba a la calle de atrás. El sol estaba alto y brillaba con fuerza en las paredes de los comercios de la acera de enfrente. Cerca de la esquina, un soldado estaba colocando un bidón de Esso sobre la calzada para crear una barricada. Durante el día, los soldados detenían el tráfico a un lado y otro del cuartel y comprobaban la identificación de los conductores. Nicolás dejó la manguera en el suelo y corrió a ayudar al soldado. El bidón estaba vacío pero era difícil de manejar. Una vez colocado en su lugar, el soldado se dio la vuelta y se alejó.

Nicolás desvió la mirada hacia el otro extremo de la calle y vio que el segundo guardia también estaba de espaldas. De pronto comprendió que si echaba a correr podría doblar la esquina antes de que los soldados se dieran la vuelta. Subió a la acera cuando de repente algo le detuvo. No llevaba puestas las botas. No podía escapar sin sus botas. Bajó de nuevo a la calzada en el momento en que el soldado se volvía hacia él. Nicolás se le acercó con calma y expresión inocente.

—Deje que le ayude con el otro bidón —dijo.

En la acera, la manguera desatendida escupía un chorro uniforme de agua. En lo alto de los muros del patio, los fragmentos de cristal resplandecían bajo el sol.

Para comer, las manos y la boca nunca ociosas, Ofelia hizo sopa de pollo con verduras mientras Nicolás, sentado a la mesa, la miraba. Le recordaba a doña Tencha, la madre de Gerardo (que en paz descanse). Cuando saliera de allí, pensó, cuando terminara esta pesadilla, recuperaría el mechón de cabello de Gerardo que había guardado en la cueva, en la caja de las cartas. Cuando llegaran tiempos más seguros, se presentaría con el Tata en casa de doña Tencha. Dejaría el recuerdo sobre sus manos maternales y cansadas. Pensar en ello le entristecía, como pensar en la oportunidad perdida. Se reprendió por creer que correr descalzo era un problema. Hubiera debido escapar. Por muy rocoso que fuera el terreno, podría haber llegado a casa sin sus botas. ¿Acaso el Tata no había pasado toda su vida sin la carga de unas botas? Para apartar de la mente las reflexiones negativas, se dedicó a escuchar a Ofelia, que estaba parloteando acerca del día siguiente. El día siguiente era 3 de mayo, el día de la Cruz. Quería que Nicolás le construyera una cruz. La del año pasado no había sobrevivido a los festejos. Después de comer, quería que Nicolás rebuscara en la caseta situada junto al lavadero de Chabela. Encuentra dos buenas vigas de madera y clavos para hacer una cruz robusta. Nicolás asentía de tanto en tanto y acompañaba el gesto con un «sí» o un «no». Mientras Ofelia le instruía, pensó en la despensa. Imaginó su vía de escape empotrada en la pared. Quizá fuera capaz de horadar el yeso con su navaja suiza. Tomaría su tiempo, por supuesto, y tendría que trabajar por la noche, mientras los demás dormían. Los perros no le delatarían. Sólo tendría que vigilar a Vidal y su visita nocturna a la letrina.

—¿Oíste lo que te dije? —preguntó Ofelia, su voz alzándose como el vapor de la sopa.

Nicolás la miró. Sonrió. Asintió.

—Sí. —¿De qué hablaba?

—Dije que cuando hayas hecho la cruz, iremos al mercado. Quiero comprar fruta para decorarla. Veamos, quiero paternas y mangos, cocos, guineos, coyoles y granadillas. ¿Te gustan las granadillas? —preguntó.

Nicolás sonrió de nuevo. Negó con la cabeza.

—No —dijo.

—¿No?

—Sí.

Ofelia agitó una mano.

—Estos niños —dijo y salió de la cocina.

Nicolás sopló sobre la sopa. Levantó el cuenco y bebió. En ese momento Ofelia regresó como una ráfaga de viento inesperada.

—¡Te vi! —exclamó—. ¡En el ejército utilizamos cucharas!

Nicolás se llevó la cuchara a la sien para indicar que obedecería.

Chabela, la lavandera, era muda comparada con Ofelia, un rasgo que Nicolás apreciaba. Coincidía con él en su tendencia a decir lo menos posible en todo momento. Se encontraba en el patio trasero clavando dos vigas de madera para la cruz mientras Chabela, inclinada sobre el lavadero, frotaba el uniforme de alguien. El jabón emitía un suave sonido deslizante. Tenía un olor antiséptico que Nicolás encontraba agradable. Chabela había enjabonado y cepillado ya media docena de camisas. Extendidas sobre los arbustos, se estaban secando al sol. Si Nicolás entrecerraba los ojos y utilizaba la imaginación, los arbustos tenían aspecto de soldados rollizos.

—¿Qué le parece? —dijo Nicolás levantando la cruz. Era tan alta como él.

—Es mejor que la del año pasado —contestó Chabela. Adelante y atrás, adelante y atrás, su brazo no se detenía—. Por cierto, hoy me gustaría lavarte la ropa. Puedes ponerte algo de mi hijo.

Nicolás se miró la camiseta, la del toro rojo. Se acordó del pequeño Mario, del día que él se llevó dos manos a la cabeza a modo de cuernos y arrastró un pie como un toro enfadado. «¡Uy!», había exclamado Mario, los ojos brillantes de excitación.

—¿Cómo se llama su hijo? —preguntó Nicolás a Chabela.

—Gustavo.

—¿Cuántos años tiene?

—Diez.

—¿Vive con él?

Chabela dejó de frotar y miró a Nicolás.

—Claro que vivo con él. ¿Por qué?

Nicolás se encogió de hombros. Se concentró de nuevo en la cruz. Propinó un par de martillazos a los dos clavos que unían las vigas. De pronto se dio cuenta de que Chabela estaba a su lado, los brazos caídos goteando agua. Antes de que pudiera decir nada, ella le rodeó con un brazo y le atrajo hacia sí para que aspirara el olor a jabón y a trabajo honrado.

—Eres como un corderito descarriado —dijo, y le dio un apretón rápido antes de soltarle.

Nicolás se tragó el nudo que tenía en la garganta y se llevó la cruz al hombro.

—¿Dónde cree que la quiere Ofelia?

—Al lado de tu árbol.

Sin moverse del sitio, Chabela observó al muchacho atravesar el patio cargado con la cruz. Se secó las manos en el delantal. Luego regresó al lavadero y agarró el jabón para frotar otra camisa.

Ahogando las lágrimas, Nicolás arrastró la cruz hasta el patio principal y la apoyó en el mango.

El cuartel estaba tranquilo. La mitad de los soldados se hallaba haciendo redadas. Se habían levantado antes de lo normal y pertrechado con armas pesadas. Nicolás trató de no prestar demasiada atención a lo que decían o adónde se dirigían. Ignoraba qué habría hecho si hubiese averiguado que iban a El Retorno.

—¿Qué haces con eso? —La voz de Vidal, que se había sentado en la galería después del almuerzo para tomarse un descanso, le sobresaltó. Vidal le indicó que se acercara y, cuando lo tuvo delante, señaló la cruz con la cabeza—. ¿Qué vas a hacer con eso?

—Mañana es el día de la Cruz.

—Lo sé —dijo Vidal—. A mi madre le encantaba decorar la cruz. La colocaba en el jardín y fabricaba guirnaldas de papel para adornarla. También la llenaba de flores y fruta. Yo arrancaba la fruta y mamá salía corriendo de la casa con una escoba. La fruta es para la cruz, gritaba mientras blandía la escoba. Yo salía volando en la otra dirección con una larga paterna bajo el brazo. La paterna era mi fruta favorita. ¿Y tú? ¿Hacía eso tu madre?

Nicolás se miró las botas. En casa de la niña Flor, ¿estaría su madre colocando fruta en la base de una cruz? ¿Estarían ayudando las hijas de la niña Flor en la decoración?

—¿De dónde eres? —le preguntó Vidal.

Nicolás levantó la cabeza y le miró. ¿Qué intención ocultaban esas preguntas? ¿Quería simplemente ser amable o era el comienzo de un interrogatorio?

—Vivo en las montañas —se limitó a decir.

—Un lugar peligroso —dijo Vidal.

—¿Consiguió una coca-cola? —preguntó Nicolás para cambiar de tema.

—¿Una coca-cola?

—Cuando hacía guardia en la esquina, delante de la tiendecita, ¿le dio la niña Rocío una coca-cola?

—Ah, sí. Me gusta la coca-cola. ¿A ti no?

Nicolás asintió. Pensó en Vidal arrastrando los pies hasta la letrina cada noche. Se preguntó qué pensaría si supiera que era observado en casi cada viaje.

—Hablando de la tienda —dijo el soldado—, necesito cigarrillos. Ve a comprarme un paquete. Que sea Embajadores. —Se reclinó y estiró una pierna. Introdujo la mano en el bolsillo y sacó un billete de un colón—. Toma. Guárdate diez céntimos y cómprate caramelos. O si quieres una coca-cola.

Nicolás aceptó el colón y partió. Cuando llegó al portal, enseñó el billete al centinela.

—El oficial Vidal quiere algo de la tienda —dijo, y notó los ojos ardientes del soldado en la espalda durante todo el trayecto.

La niña Rocío estaba sentada en un taburete alto, detrás de un mostrador de cristal lleno de mercancía. Era una mujer sin edad, discreta y de buen talante. Tenía un cuerpo rollizo envuelto en una tela de flores. La radio estaba encendida y sonaba una balada sobre alguien a quien hacían una cama de piedra. La niña Rocío estaba murmurando la letra y meciéndose al compás de la música.

—Un paquete de Embajadores —dijo Nicolás al tiempo que dejaba el billete sobre el mostrador.

—¿Son para ti? —preguntó la mujer con semblante severo.

—No; son para el soldado Vidal —dijo Nicolás.

—Ay, sí, el de la cara de bulldog.

Nicolás sonrió pero no dijo nada. La niña Rocío bajó del taburete con un saltito y gruñó cuando sus pies tocaron el suelo.

—Los Embajadores son los cigarrillos más populares —dijo—. Se me terminaron los paquetes sueltos que tenía en la vitrina. —Acercó el taburete a una estantería apoyada contra la pared—. ¿Podrías subirte, chelito? Guardo los cartones en el último estante. Bájame dos, anda.

Por un instante, el hecho de que le llamara chelito, ese apodo familiar, le desconcertó, pero Nicolás rodeó el mostrador y se subió al taburete. La tienda estaba poco iluminada, y al entrar había tenido que esperar a que sus ojos se adaptaran. Pero ahora, subido al taburete, podía ver los artículos almacenados en los estantes. Podía ver fragmentos de pared y una juntura que trepaba. Alargó un brazo, pero antes de agarrar los dos cartones de cigarrillos dejó que sus dedos descansaran un instante en la juntura. Notó una capa de yeso blando. Como el de la despensa.

VEINTISÉIS

La despensa y la tiendecita compartían la pared. Ahora lo sabía. Imaginó a Nuestra Señora escribiendo SAL POR AQUÍ sobre la estantería de la tienda, del mismo modo que había soñado que escribía ENTRA POR AQUÍ en la despensa. Desde su hallazgo, ocurrido unos días antes, había examinado con la navaja suiza una sección de la pared y descubierto que estaba hecha de listones de madera cubiertos de yeso. El tabique que cubría el hueco de la puerta tenía aspecto de haber sido erigido con prisas, pues el yeso estaba blando y quebradizo. Los listones eran estrechos y endebles. Una vez expuestos, bastarían unas pataditas para derrumbarlos.

Nicolás decidió trabajar en una sección baja y poco visible. Abriría un boquete lo bastante ancho para cruzarlo con el cuerpo boca abajo. Para ello utilizaría la palanca que había encontrado en la caseta del patio mientras buscaba la madera para la cruz. Se tomaría su tiempo para no levantar sospechas. Cuando el boquete estuviera listo, huiría mientras los demás dormían, mientras la niña Rocío yacía plácidamente en su cama. Una vez dentro de la tienda, esperaría a que los pasos del centinela de la esquina se alejaran para girar la llave, abrir la puerta lo justo para deslizar el cuerpo y cerrarla de nuevo. Ya podía saborear la sensación de libertad que experimentaría al cruzar la calle a todo correr.

Esta mañana, mientras Nicolás limpiaba las mesas del comedor, el sargento Molina, el del pelo fuerte que había estado en el rancho con los demás soldados, le dijo:

—Tengo un trabajo para ti. Vamos a hacer prácticas de tiro y quiero que transportes parte de la munición.

Lo que Molina en realidad quería decir era que deseaba que Nicolás transportara *toda* la munición. Los quince kilos.

Nicolás siguió a Molina por un pasillo interno hasta la puerta del arsenal. Hasta ese momento, cada vez que había pasado por allí había encontrado la puerta cerrada con candado. Esta mañana estaba abierta de par en par. Dentro, el teniente Galindo bajaba cajas con munición de un estante y las apilaba en el suelo. Cuando vio a Nicolás, levantó la tapadera de un contenedor metálico y señaló los cargadores acoplados como una cremallera.

—Mete allí doce cargadores —ordenó, señalando una mochila que descansaba junto a la puerta.

Nicolás obedeció. Se concentró en la tarea pero sin olvidarse de las armas y explosivos que le rodeaban. Años más tarde, cuando ya comprendía estas cosas, describiría con detalle las hileras de fusiles de asalto M-16 dispuestos en los armeros, las pistolas automáticas Colt 45 colgadas de la pared con sus cartucheras. Recordaría las cajas que contenían granadas de mano NR-20-CI. La media docena de granadas de fusil con lanzadera. Las cajas con munición para fusiles y pistolas. Hablaría de la dinamita y las cápsulas explosivas, de los viejos fusiles Mauser, las viejas metralletas Thompson, los Browning M-2 y el Stoner 63 con su trípode imponente y terrorífico en un rincón.

Trasladó los cargadores a la mochila, cada uno con treinta cartuchos. Al amontonarlos chocaban entre sí con un ruido metálico. Cerró la bolsa, se llevó las correas a los hombros y encorvó la espalda para ajustar el peso. Llevaba en el cuartel dos semanas y en todo ese tiempo no había cargado con nada tan pesado. Salió de la habitación y esperó fuera a que el teniente cerrara la puerta con el candado.

Los doce soldados que debían hacer las prácticas de tiro se habían reunido en la galería y estaban esperando a Galindo y Molina, sus entrenadores. Vidal estaba entre los soldados. Se acercó a Nicolás.

—Parece que hoy te toca ser la mula de carga.

Nicolás se encogió de hombros. Quería responder que siempre era la mula de carga. Quería decir que era bueno en eso, y hablar de la ocasión en que cargó con una nevera llena de bolsas de sangre, siempre cuesta arriba, hasta su casa. Vidal le caía bien, aunque sólo fuera porque parecía más un ser humano que un soldado de mentalidad violenta. Tres noches atrás, después de que Ofelia decorara la cruz, Vidal apareció con una guitarra en la galería al terminar la cena. Evocó de nuevo a su madre y lo mucho que le gustaba el ritual de la cruz, la fruta y las flores. Entonó una canción sobre la nostalgia. Tenía una voz dulce y habló de la pena de estar lejos de su hogar. Cantó: «Una inmensa nostalgia invade mis pensamientos.» Como era una canción, ningún compañero se burló de él.

—Míralo por el lado bueno —dijo Vidal señalando la mochila—. Ahora está llena, pero de regreso la traerás vacía.

Esbozó una sonrisa alegre y dentona que pareció aplastarle aún más la nariz.

El campo de tiro no estaba lejos —tres manzanas al este y cuatro al norte—, pero a Nicolás el trayecto se le hizo eterno. Las correas de la mochila se le clavaban en los hombros y las piernas le dolían de soportar tanto peso. Caminaba al lado del teniente, apresurando el paso para no rezagarse. No podía detenerse a descansar ni a recolocar la carga; sólo podía concentrarse en el *tromp-tromp-tromp* de los soldados, quienes, con el sargento en cabeza, marchaban con aire importante por el centro de las calles, obligando a los peatones y los coches a parar o a rodearles. El sudor empapaba la camiseta de Nicolás. La llevaba remetida en los tejanos porque el capitán era un maniático de la pulcritud. El grupo pasó por delante de una cantina que tenía la música a todo volumen. Al llegar a la siguiente manzana pasaron frente a la casa lila. Luego dejaron atrás la farmacia con la imagen del Buen Pastor y, por último, la oficina de correos donde la carta de su madre había iniciado el mágico viaje a su corazón. Todos estos puntos de referencia levantaron el ánimo de Nicolás, pues daban fe de que en otros tiempos había sido otro muchacho, había vivido otra vida. Una vida que estaba decidido a recuperar.

Una alambrada de elevada altura rodeaba el campo de tiro y una puerta cerrada con candado mantenía a raya a los intrusos. Sobre la puerta pendía un letrero de madera que advertía a quienes sabían leer: RESERVA MILITAR. EJÉRCITO NACIONAL DE EL SALVADOR. PROHIBIDA LA ENTRADA. Un trinchera profunda, desprovista de vegetación, atravesaba el campo de una punta a otra. El teniente Galindo se detuvo bajo la única fuente de sombra que había —un pedazo de calamina extendida sobre unos postes—, los ojos protegidos por unas gafas de espejo oscuro, una tablilla bajo el brazo y unos prismáticos sobre el pecho. Dirigió una mirada afilada a los seis soldados alineados a este lado de la trinchera. Los hombres apuntaron con sus fusiles unas dianas blancas de papel colocadas en el otro extremo del campo, a unos cien metros de distancia. Del tamaño de una ventana de noventa centímetros de ancho, las dianas formaban unos círculos dentro de otros con un gran ojo de buey en el centro, y estaban sujetas a unos caballetes clavados en el suelo.

Nicolás se mantenía cerca de Galindo con medio cuerpo a la sombra y medio cuerpo al sol porque no quería sobrepasar sus límites. Hacía fotografías mentales de todo. De la forma en que el sargento Molina regañaba a un soldado tras otro por no cargar correctamente el fusil. De la forma en que les instaba a adoptar la postura adecuada, a sostener el arma correctamente antes de disparar. Nicolás oyó al sargento comunicar por radio a los soldados situados al otro lado de la trinchera que iba a comenzar el tiroteo. Vio a los hombres recibir el mensaje y ocultarse en la trinchera que transcurría a los pies de las dianas. Oyó a Galindo gritar «¡Fuego!». Vio a cada soldado disparar y oyó, casi al·unísono, el estruendo de sus disparos. Vio a los compañeros de la trinchera recibir el mensaje de «¡Despejado!». Vio a seis hombres asomar la cabeza y elevar los marcadores a los lugares donde habían dado las balas. Vio a Galindo mirar por los prismáticos y examinar cada blanco. Lo que observaba lo trasladaba a la tablilla con anotaciones rápidas. Si el soldado había errado todos los tiros, el compañero atrincherado agitaba una bandera roja y el sargento gritaba «¡Magi!», una deformación de *Maggie's drawers* («calzoncillos de marica»), expresión que el ejército había aprendido de los gringos que habían formado a los oficiales en la escuela militar salvadoreña.

Transcurridas casi dos horas, los doce soldados ya habían disparado de pie, de cuclillas y estirados. Cada uno había efectuado exactamente treinta disparos. El cálculo debía ser preciso dado que la munición era cara (un colón por disparo) y escasa. El teniente había anotado el resultado final de cada disparo y, basándose en la puntuación, asignado una nota a cada soldado. En ese tiempo los hombres habían vaciado sus cantimploras de agua. Los uniformes de camuflaje estaban empapados de sudor. Durante esas dos horas Nicolás había estudiado cada movimiento. Sabía que, si se veía obligado a ello, podría hacer lo que habían hecho los soldados.

Esa noche durmió, como siempre, bajo el mango con los perros. La cruz de Ofelia descansaba a unos metros de ellos. Nicolás la había clavado en el suelo y rodeado la base con piedras para asegurarla. A estas alturas, las guirnaldas de flores elaboradas por Ofelia estaban lacias y descoloridas, y la fruta olía a madura. Nicolás contempló la luna que se filtraba por las ramas del mango. Pensó en la Virgen alojada en su hornacina. La cara de la estatua tenía el mismo tono lechoso que la luna. Volvió a oír los compases del *Ave María*. Recordó las palabras de Nuestra Señora, el calor que había encendido en su corazón para que nunca las olvidara: Soy valiente. Soy fuerte. Soy como un león.

Repitió las palabras en susurros, como si fuera una nana: «soy valiente, soy fuerte, soy como un león». Posó una mano sobre un perro para sentir su aliento húmedo y sereno. Echaba de menos a *Capitán*. Echaba de menos al Tata y el rancho. Echaba de menos a su madre. Treinta y ocho días habían pasado desde la última vez que la había visto, desde que le llevara al funeral de Monseñor. Treinta y cinco días habían pasado desde que Nicolás entregara la carta para su madre.

«Mamá», susurró cuando la verdad, clara como el cristal, descendió desde el rostro lechoso de la luna, se abrió paso entre las hojas del mango y le cubrió como un manto. Su madre estaba muerta.

El peso de la verdad, el peso de todas las cosas, le aplastó. Apoyó la espalda contra el árbol y soltó un gemido. Su madre estaba muerta. Un dolor salvaje le embistió y Nicolás se puso en pie para plantarle cara. Se llevó una mano a la boca para sofocar el intenso sollozo que le subía por el pecho. Nunca volvería a ver a su madre. No podía hacer frente a esa verdad, así que le dio la espalda. Con paso presto pero quedo para no inquietar a los perros ni despertar a los soldados, trasladó su dolor al patio trasero. Rodeó el todoterreno del capitán una vez, dos veces, mientras la cara de su madre, su voz, su olor a tierra, daban vueltas en su cabeza. La desesperación le hizo añicos el corazón. Nicolás se desplomó contra la verja de hierro con la boca abierta en un lamento mudo. Las rodillas le flaquearon y se deslizó lentamente hasta quedar sentado en el suelo. Entonces asomaron las lágrimas, unas lágrimas continuas, calientes, abundantes. Su madre se había ido. Su madre estaba muerta. Nunca volvería a ver a su madre.

VEINTISIETE

El anciano estaba sentado al lado de la iglesia, bajo lo que quedaba del conacaste, con la espalda apoyada contra el tronco partido y las piernas dobladas contra el pecho, tal como había hecho durante los muchos días que llevaba esperando al muchacho. Desde su regreso de San Salvador pasaba la mayor parte del tiempo así, con la mirada fija en el camino que atravesaba El Retorno. No quería perderse ni un instante de la visión del muchacho corriendo hacia él, como un espejismo, para recuperar su vida juntos. Cuando el sol buscó el horizonte, el abuelo despertó al perro y los dos entraron en la iglesia derruida para dormir pegados a la pared que quedaba en pie, bajo la hornacina de Nuestra Señora. La estatua volvía a llenar el hueco y eso le daba consuelo. Se la había llevado la espantosa mañana en que salió de la cueva, todavía enfebrecido, para descubrir que el muchacho había desaparecido, para encontrar su pasado reducido a cenizas.

Por muchos más años que viviera, jamás olvidaría la imagen del machete del chico entre los arbustos, del cubo turquesa flotando en el agua. El intenso olor a fuego llegaba hasta el río, y el viejo se dirigió al rancho dispuesto a encontrarse con una desgracia.

La desgracia también le golpeó cuando fue a la capital. Al llegar a casa de la niña Flor averigüó que el chico, contrariamente a lo que esperaba, no estaba allí; también averigüó que Lety, su única hija, había muerto. Las dos noticias le cayeron de súbito, una detrás de otra. Semejante dolor habría podido derribar a un hombre, y había momentos en que, sentado bajo el árbol, se decía que estaría mejor muerto. Luego visualizaba a su nieto, sus ojos melosos, su ánimo decaído, y comprendía que tenía que ser fuerte y valiente. Como había dicho el chico, debía ser como un león.

Rezó para que Nicolás estuviera siguiendo ese mismo consejo dondequiera que se encontrara. El viejo había especulado sobre lo ocurrido la mañana en que yacía con fiebre en la cueva: Nicolás yendo a buscar agua, Nicolás capturado por el ejército, Nicolás llevado a un cuartel e interrogado, golpeado o peor. Eran opciones espeluznantes, de modo que se decantó por una escena más optimista: Nicolás escapando y reuniéndose con su madre. Cuando se enteró de que no había sucedido así, fue a recorrer la estación de autobuses. Viendo que su búsqueda era infructuosa, regresó a casa de la niña Flor. Desde allí Basilio Fermín, el chofer, telefoneó a varios cuarteles del ejército con la esperanza de que Nicolás se hallara en uno de ellos. Pero todos los lugares a los que llamaron, entre ellos el de Tejutla, negaron haber visto a un muchacho con ojos del color del té.

Apesadumbrado, el viejo regresó a casa para inspeccionar de nuevo los alrededores del rancho. Se adentró en las montañas cuando el viento arrastró el olor de algo muerto y encontró lo que quedaba de la unidad de Dolores. Se tapó la nariz para frenar el hedor y contuvo el aliento al pensar en la horrible posibilidad de que uno de los cuerpos fuera el de su nieto. Pero, gracias a todos los santos del cielo, no fue así. No obstante, aunque el hecho disipaba su peor temor, lo cierto era que el paradero de Nicolás seguía siendo un misterio.

Una mujer de mediana edad con dos trenzas apiladas en lo alto de la cabeza salió a la calle, se rodeó la boca con las manos y gritó:

—¡Don Tino, el desayuno!

Era Úrsula Granados, la dueña de la tortillería. Había vuelto a casa unas semanas antes con otros habitantes de El Retorno que huyeron después del ataque. Cuando el abuelo tomó la iglesia como morada, Úrsula decidió cuidar de él. Era lo menos que podía hacer, dijo. Después de todo, Nico había vivido con ella mientras asistía a la escuela. Era como un hijo para ella.

—Vamos, *Capitán* —dijo el anciano.

Se desperezó lentamente y se incorporó antes de despabilar al perro con la punta del pie. El perro también estaba viejo, y la desgracia que había caído sobre ellos le había hecho más lento. El viejo se sacudió el sombrero y recogió su machete y el del muchacho. Los dos amigos bajaron la cuesta en dirección a la casa de Úrsula.

Obedeciendo a su deseo, la mujer le había servido el desayuno en la puerta para que no perdiera de vista el camino. El abuelo se sentó en el peldaño, desgarró una tortilla y ofreció la mitad a *Capitán*, que la aceptó con delicadeza.

—*Que Dios se lo pague** —dijo a Úrsula, que se hallaba en el interior amasando harina de maíz.

Le había dicho eso tres veces al día durante los últimos trece días. La única forma en que podía corresponder a su generosidad era pasar una horas en el río y, si el destino lo quería, traer de vuelta unos cuantos peces para asarlos en la parrilla.

El anciano comía pausadamente. De tanto en tanto se acercaba la taza de café a la boca, soplaba y sorbía ruidosamente. Entonces podía oír a Servelia, su esposa, reprenderle desde la tumba. «Niño, niño», le decía cuando pensaba que se estaba comportando como tal. No había gozado de la compañía de su esposa demasiado tiempo. Lety tenía ocho años, uno menos que el muchacho, cuando perdió a su madre del mal aire que puede traer la madrugada. En dos días la fiebre la había consumido. Ahora Nicolás también había perdido a su madre, y el viejo sentía una opresión en el corazón cada

---

* En español en el original. *(N. de la T.)*

vez que lo recordaba. Luego sacudía la cabeza y se veía impulsado a preguntar: ¿Qué pintas, Dios, en todo esto?

Úrsula tomó asiento a su lado. Traía consigo su taza de café. El anciano, como era su costumbre, dijo:

—No tienes que sentarte aquí porque yo lo haga.

—Lo sé —respondió Úrsula mientras contemplaba la calle—. Pero yo también quiero verle cuando asome por la esquina.

El viejo gruñó, pues era cuanto podía hacer para frenar el llanto. El hecho de que Úrsula también tuviera esperanzas significaba mucho para él. Se aclaró la garganta antes de decir:

—Recuerdo cuando Lety confesó que estaba embarazada de Nico. Me di cuenta de su estado en cuanto la vi acercarse al rancho por la colina. Era su forma de andar lo que la delató. Caminaba con la cabeza alta, mi pequeña, como si me desafiara, como si me retara a condenar lo que había hecho. —Bebió otro sorbo de café. Dejó la taza en el suelo y prosiguió—. No tenía por qué preocuparse. Lo mejor que hizo en su vida fue tener a ese niño. Desde hace nueve años Nico es la razón por la que me levanto cada mañana.

Úrsula asintió y bebió café.

Ambos dejaron descansar sus desayunos y pensamientos sin apartar la mirada del camino. El anciano recogió un puñado de frijoles con los dedos y se los ofreció a *Capitán*.

—Le encantan los frijoles —dijo.

—A quién no —respondió Úrsula.

VEINTIOCHO

En medio de la noche, Nicolás se arrodilló en la despensa con la puerta cerrada. Se había quitado la camisa antes de entrar para taponar con ella la rendija inferior. Luego había tirado del cordón de la luz. Para poder trabajar en la pared tuvo que tumbarse de costado con las piernas encogidas. Los productos de los estantes parecían tambalear sobre su cabeza. Bolsas de maíz, frijoles y arroz. Paquetes de manteca. Pilas de sartenes, cuencos y ollas. Chiles colgando del canto de un estante. Cabezas de ajo suspendidas sobre la suya propia.

Tanto fuera como dentro reinaba el silencio, y eso le asustaba hasta tal punto que tiró nuevamente del cordel y dejó la despensa a oscuras. No necesitaba luz. Podía trabajar guiándose por el tacto. Con todo, le habría gustado contar con la luz de su linterna. Tenía sus herramientas a mano: la navaja suiza, la palanca y la cuchara de servir que había tomado prestada de la cocina. Sus dedos conocían el terreno: la corta distancia hasta la pared, cómo se quebraba el yeso al picarlo y el suave sonido que hacía al caer detrás de la estantería. De vez en cuando el polvo del yeso le irritaba la nariz, obligándole a detenerse para limpiarse la cara con un brazo sudoroso.

El plan estaba casi terminado. Había trabajado en la pared durante tres noches y picado el yeso hasta abrir un boquete lo bastante grande para deslizar el cuerpo. Utilizó la palanca para separar los listones y notó el yeso al otro lado, y también le pareció blando y quebradizo. Mañana por la noche emplearía de nuevo la palanca y las piernas para romper el yeso y alcanzar el camino a la libertad. Hasta entonces, y tal como había hecho desde el principio, se mostraría paciente y cauto. No correría riesgos. Taparía el trabajo de la noche con utensilios poco empleados. Iría de puntillas hasta el lavadero para enjuagarse el polvo antes de tumbarse bajo el árbol con los perros. Durante las últimas tres noches, ¿cuánto había dormido? ¿Diez, doce horas?

Creyó oír pasos. Dejo de rascar y aguzó el oído. Había alguien en la cocina. La puerta de la nevera se abrió. Poco después, se cerró. Sigilosa y lentamente, Nicolás se levantó y apoyó la espalda contra la pared, de tal manera que la puerta le escondiera si la persona que rondaba en la cocina la abría. Esperó. Se llevó una mano al corazón y notó la fuerza de sus latidos. Con la otra mano sostenía la palanca como si fuera un machete. Tenía intención de utilizarla si no le quedaba más remedio. Rezó para que no tuviera que hacerlo. Pasaron los minutos. ¿Era Ofelia quien deambulaba por la cocina? No. Ella habría encendido la luz. Quienquiera que fuera no quería ser visto. De repente, cayó en la cuenta. Era Vidal, que se había desviado a su regreso de la letrina. Otra vez pasos. El grifo del fregadero abierto. El grifo cerrado. Más pasos.

Nicolás no se movió. Tras una eternidad, empezó a confiar en que la cocina estuviera vacía. Sólo entonces se dejó caer por la pared de la despensa hasta sentarse.

Le despertó una luz. Unos rayos de luz perlina. Había visto antes esa luz. En la cueva. ¿Estaba allí ahora? Sacudió la cabeza para quitarse el sueño.

—¿Tata? —dijo—. Tata, ¿estás ahí?

—Nicolás, estoy contigo. —Otra vez esa vocecilla suave. Tragó aire.

—Virgencita, ¿eres tú?

—Vine a ayudarte.

Nicolás miró alrededor. Se hallaba en la despensa, pero la estancia estaba cerrada y hacía calor, como en la cueva. Aunque oía la voz, no veía nada. Sólo veía la luz tenue.

—Ya me ayudaste —dijo—. Tuve un sueño. En el sueño escribías ENTRA POR AQUÍ. —Señaló un punto de la estancia tragado por la penumbra—. Allí, ¿lo ves? Encima de la puerta encubierta.

—No tengas miedo, Nicolás.

—No tengo miedo. Soy valiente.

—Mañana al mediodía, Nicolás, tendrás que ser fuerte. Tendrás que ser como un león.

—¿A mediodía?

—A mediodía. Permanece atento.

—¿Cuándo?

—Estoy contigo, Nicolás.

—Lo sé.

—A mediodía me verás. Sígueme hasta un lugar seguro.

La luz parpadeó como la llama de una vela.

—No te vayas —dijo Nicolás, pero no obtuvo respuesta. Sólo oscuridad. Sólo sus preguntas.

VEINTINUEVE

Nicolás se levantó con los soldados al toque de diana. Estuvo muy erguido mientras pasaban revista y saludó a la bandera que se alzaba sobre el mástil. Pese a haber dormido poco, hizo sus flexiones y sus saltos con vigor. Con qué fin, lo ignoraba. Trajera lo que trajese el mediodía, estaba preparado. Desayunó aprisa y corriendo, detalle que Ofelia no pasó por alto.

—¿A qué viene tanta prisa? —preguntó—. Parece que te persiga alguien.

Nicolás salió de la cocina como si así fuera y arrastró la manguera hasta la acera, donde gozaba de mejor vista. La advertencia de Nuestra Señora le había puesto ojos y oídos en la nuca.

A media mañana otro grupo de soldados se preparó para las prácticas de tiro. Nicolás estaba barriendo la galería cuando el sargento apareció por una esquina. Nicolás apoyó la escoba en el hombro. Preguntó si también hoy tenía que transportar la munición.

—Es tu día de suerte —contestó el sargento—. Otra persona será hoy la mula de carga.

Nicolás asintió. Le pareció bien, pues hoy él era un león. Observó cómo la tropa salía con paso firme, dejaba atrás los bidones de petróleo y tomaba el centro de la calle. El sargento, el teniente y doce soldados. Había un guardia apostado en la esquina que también contemplaba la escena.

—¿Quieres ser soldado como ellos? —preguntó a Nicolás.

Nicolás alzó los hombros. No quería ser soldado. Quería salvar vidas.

—Si te esfuerzas, cuando menos te lo esperes tendrás tu uniforme. Y un buen par de botas.

Ya tengo botas, pensó Nicolás.

—Y un fusil. —El soldado llevaba el arma colgada del hombro. La acarició con ternura—. Qué gran día cuando me dieron el mío.

La niña Rocío asomó la cabeza por la puerta de la tienda.

—Chelito —dijo—, eres justamente la persona que necesito. Ven a echarme una mano.

—Estaré en la tienda —dijo Nicolás al soldado.

La estancia olía a un perfume que no había percibido antes.

—Huele bien —dijo.

—Son las rosas. —La niña Rocío señaló un jarrón de cristal repleto de rosas rojas como la sangre que descansaba sobre el mostrador—. Ven a olerlas. —Estaba sentada en su taburete, detrás del mostrador.

—No, no —respondió Nicolás, pues no era varonil hundir la nariz en las flores.

—Tú mismo. En fin, mira lo que pasó. Se me cayó la llave ahí dentro. —Señaló un punto, pero Nicolás tuvo que rodear el mostrador para verlo.

—¿Dónde?

—Debajo del estante. Yo misma la buscaría, pero no me gusta meter la mano en un lugar que no veo. Una nunca sabe lo que puede encontrar.

Nicolás se agachó. El área que la mujer había señalado estaba justamente sobre el lugar por donde tenía intención de entrar esa misma noche. Era un milagro. Ahora tenía la oportunidad de echar un vistazo a este lado de su vía de escape. ¿Era obra de Nuestra Señora? Deslizó una mano por debajo del estante y encontró la llave. La retuvo un instante y utilizó ese tiempo para examinar los artículos del anaquel: cajas con aspirinas y polvos digestivos. Al atravesar la pared sólo tendría que apartar a un lado las cajas. Sería fácil.

—Tome —dijo Nicolás mientras se levantaba y colocaba la llave en el mostrador. Se sacudió el polvo del brazo.

La niña Rocío sufrió un escalofrío.

—¡Uy, no sé cómo puedes hacer eso!

—¿Hacer qué?

—Meter el brazo ahí debajo.

Nicolás echó a andar hacia la puerta cuando la mujer añadió:

—Espera. Antes de irte toma un dulce por las molestias. Elige el que quieras.

Nicolás se volvió y, tras examinar la superficie del mostrador, señaló el frasco de caramelos.

—Me gustan los caramelos.

Sin bajar del taburete, la niña Rocío agachó la cabeza e introdujo un brazo en la vitrina. Nicolás la tenía tan cerca que podía verle la raya del pelo, una carretera que bajaba por el centro del cuero cabelludo.

—Toma dos. Hiciste algo muy valiente.

Nicolás alcanzó los dos caramelos con su envoltorio azul.

—Gracias, niña Rocío —dijo, y se los guardó en el bolsillo, con el león de madera.

Cuando iba por la acera recordó una historia que su madre solía contarle. Hace mucho, mucho tiempo, en México, a un indio llamado Juan Diego se le apareció la Virgen de Guadalupe en una colina y en ella brotaron rosas rojas. Nicolás miró la tienda por encima del hombro. Las flores. La llave. El estante. Sus ojos tan cerca del camino que iba a darle la libertad. Era obra de la Virgen. Y ni siquiera era mediodía.

A las doce y diez, los treinta soldados que no se hallaban en el campo de tiro estaban en el comedor disfrutando de un plato de buey asado en salsa de tomate. Treinta fusiles descansaban en los armeros de la galería. Ofelia y Silvia entraban y salían de la cocina con bandejas de verduras salteadas y arroz con guisantes. Confiando en que les cayera algo, *Príncipe* y *Princesa* visitaban a los soldados uno a uno, pero se mantenían alejados de Ofelia por temor a sus puntapiés.

En el lavadero, Chabela fumaba un cigarrillo, las manos temporalmente secas y quietas.

Como siempre, el capitán Portillo había comido antes que los soldados. Ahora se hallaba sentado frente a su escritorio, de espaldas a la ventana y a los bidones de petróleo que bloqueaban la calle. Estaba terminando un informe y soñando con su siesta de veinte minutos. El teniente Galindo, su mano derecha, no estaba. Había llevado su todoterreno al taller para que le inspeccionaran el diferencial.

Vidal hacía guardia en la entrada y su turno estaba tocando a su fin. Qué bien, pensó, pues los olores que llegaban de la cocina le habían abierto el apetito. En la tienda, la niña Rocío seguía aposentada en su taburete. Envuelta por el aroma de las rosas, se mecía siguiendo el compás de una canción de amor que emitía la radio.

Nicolás se lavó las manos en la pila del cuarto de baño. Poco antes había estado en la cocina, delante de su plato de comida, pero había notado un calambre en el estómago. Ignoraba la causa. Quizá fuera el olor de la carne, aunque nunca antes le había ocurrido nada semejante. Quizá fuera la falta de sueño.

Una camioneta de reparto circulaba a una velocidad prudente por la calle Central hacia el cuartel. Dentro viajaban apretados diez guerrilleros, todos armados, todos con un pañuelo sobre la mitad inferior del rostro.

Treinta más como ellos avanzaban a pie por el norte y el sur, algunos con armas apretadas contra el costado o debajo de la vestimenta, todos con un pañuelo oculto debajo del cuello de la camisa.

Tres hombres caminaban por la acera del cuartel. Caminaban con naturalidad, hasta que dos de ellos se detuvieron en sendas esquinas y el tercero en la entrada. Este último se levantó la gorra con la mano izquierda y dijo:

—*Buenas tardes, señor oficial.**

Con la mano derecha sacó una pistola de los pantalones y disparó a Vidal en el pecho. Los hombres apostados en las esquinas mataron a los centinelas de igual modo. Inmediatamente después, tres guerrilleros acribillaron a los guardias de la entrada trasera con sus AK-47.

El sonido de los disparos hizo que los soldados sentados a la mesa corrieran hacia sus fusiles. Entretanto, la camioneta de reparto apareció por una esquina y cruzó a toda velocidad la entrada trasera para detenerse frente al lavadero de Chabela. Las puertas del vehículo se abrieron y los hombres bajaron ágilmente empuñando sus armas pero sin apretar el gatillo, pues la escena había transcurrido en apenas cuarenta y cinco segundos y los soldados aún no habían llegado al patio. Entretanto, más guerrilleros a pie cargaban por ambas entradas.

El primero en ofrecer resistencia fue el capitán Galindo. Asomó por la puerta de su despacho y disparó certeramente a dos guerrilleros antes de que le acribillaran con una AK-47. Entonces aparecieron algunos soldados y el intercambio de disparos se volvió ensordecedor. Los cuerpos alcanzados volaban, giraban y se tambaleaban. Entre ellos Chabela, el cigarrillo todavía entre los dedos, que recibió un disparo en la espalda justo cuando alcanzaba la puerta de la cocina.

En la cocina, Ofelia gritaba y suplicaba a Dios. En el comedor, Silvia resbaló con la salsa de tomate caída al suelo. Trató de ponerse en pie pero resbaló de nuevo. Finalmente se ocultó debajo de la mesa con los perros, decisión que iba a salvarle la vida.

Nicolás había salido del cuarto de baño. Estaba en un vestíbulo interior y, durante unos instantes, el ruido fue tan brutal que le paralizó. Una segunda explosión agitó el edificio. Se llevó las manos a la cabeza para protegerse de los trozos de te-

---

* En español en el original. *(N. de la T.)*

cho que caían. Corrió hacia la cocina y, tras empujar la puerta, se detuvo en seco: la mitad del techo y media pared se habían desplomado. El fogón, la nevera y la mesa con su plato de comida estaban enterrados bajo vigas, baldosas y fragmentos de yeso. En algunos puntos ardían pequeños fuegos. El cuerpo de Ofelia asomó por debajo de un montón de cascotes. Por el rostro le caía sangre. Aullaba y agitaba los brazos, como si estuviera atrapada en el remolino de una ola marina. Nicolás se acercó a socorrerla. Entonces, por encima del estruendo, oyó lo que la mujer gritaba:

—¡Fuiste tú! ¡Tú nos delataste! ¡Estuviste muy extraño todo el día!

Nicolás se alejó de ella. Corrió hasta la puerta de la despensa, que estaba abierta de par en par. Podía ver los estantes con los víveres. Podía oír los chasquidos de los fusiles y las explosiones de las granadas. Los hombres vociferaban órdenes. Se oían pasos apresurados por todas partes. Pero por encima de todo ese ruido Nicolás oyó la voz de Nuestra Señora: «Eres un león.» En la despensa, su vía de escape le hacía señas.

Inspiró profundamente y enseñó los dientes. Levantó los brazos como si sus dedos fueran garras. Un rugido profundo se elevó por su pecho, llenándole de una ferocidad que le impulsó hasta la despensa. Tiró del cordel pero la bombilla no se encendió. No importaba. Podía hacerlo a ciegas. Lanzó a la cocina los artículos de los estantes inferiores. Ollas y sartenes cayeron estrepitosamente sobre los escombros. El maíz, los frijoles y el arroz salían volando de los sacos. Nicolás actuó frenéticamente y una vez que la zona quedó despejada, se desplomó sobre su trasero. Elevó las piernas por encima del estante y propinó a la pared un golpe contundente. Luego otro. Y un tercero. Finalmente, el yeso cedió. Nicolás siguió dando patadas hasta que la luz de la tienda penetró en la despensa, hasta que el boquete parecía lo bastante amplio para engullirle.

Ajeno a los gritos débiles de Ofelia y al caos que tenía lugar más allá de la cocina, se puso boca abajo y se arrastró por el estante. El yeso le cegaba y le obturaba la garganta. Se frotó los ojos, introdujo un brazo en la abertura y vació el anaquel de la tienda. Luego, agarrado al canto de este, se impulsó poco a poco hacia adelante, contoneándose. Tenía medio cuerpo en la tienda cuando se dio cuenta de que la niña Rocío se había ido. El taburete estaba volcado junto al mostrador. La radio, encendida. La puerta de la calle, abierta.

Una ráfaga de disparos resonó en la cocina. Nicolás tenía el mostrador de la tienda a un brazo de distancia. Se agarró a una de sus patas y la utilizó para darse el último impulso. Luego se incorporó a toda prisa y corrió hacia la puerta. Las balas acribillaron la pared de la despensa. La estantería de la tienda se desplomó. El mostrador de cristal se hizo añicos.

Nicolás había alcanzado la puerta cuando recibió en la espalda un empellón tan violento que cayó de bruces al suelo. Al principio pensó que había tropezado con el marco inferior de la puerta, pero luego notó que el costado le ardía. Lo palpó con una mano y, al levantarla, vio que estaba ensangrentada. Salió de la tienda a trompicones. Vidal estaba tendido en la acera. Había un guerrillero tumbado en la entrada del cuartel mientras surcos de sangre rodaban por el cemento. Los comercios habían cerrado sus puertas a cal y canto. Los clientes se habían refugiado en los portales. No obstante, las puertas metálicas de la tienda de carteles permanecían abiertas y en una de ellas colgaba la imagen de la Virgen Milagrosa.

Nicolás fijó la mirada en el rostro pálido de su benefactora al tiempo que cruzaba la calle tambaleándose. Creyó ver unos rayos de luz que salían de sus manos menudas. Ante sus ojos se extendía una larga acera. Una bocacalle más y luego la manzana de la casa lila. Se sujetó el costado con una mano y echó a correr. Ni una sola vez miró atrás.

TREINTA

Ayúdeme —jadeó Nicolás cuando el portal de la casa lila se entreabrió. Al ver que la mujer vacilaba, forzó su entrada—. El señor Alvarado, por favor —dijo entrecortadamente, porque le faltaba el aire y el costado le ardía—. Me dispararon. —Levantó una mano ensangrentada para dar fe de ello. La mujer dio un paso atrás.

—¿Qué ocurre? —preguntó Alvarado.

Más allá del patio apareció la silueta del hombre, enmarcada por la puerta de la casa, con una servilleta metida en el escote de la camisa. Por su cinturón asomaba la culata de una pistola.

—Señor, ¿se acuerda de mí? Soy Nicolás Veras. Estuve aquí hace unas semanas. Me ayudó a escribir una carta para mi madre. Mire. Me dispararon.

Enseñó su mano ensangrentada mientras notaba que la fuerza se le iba. Cayó sobre una rodilla. A lo lejos se produjo otra explosión seguida de más disparos.

Alvarado corrió a socorrerle.

—Clara, atranque la puerta. A partir de ahora no abra a nadie.

Con cuidado, levantó a Nicolás del suelo y lo llevó hasta la sala de la mesa redonda, las sillas y la nevera en el rincón. Lo tumbó sobre un diván colocado bajo las ventanas que daban al patio.

—Tenemos que quitarte la camisa —dijo Alvarado.

Nicolás tiró con tiento de los faldones atrapados en el interior de los tejanos. Estaban empapados de sangre, de una sangre increíblemente roja.

—Lo voy a manchar todo.

—No te preocupes por eso. —Alvarado entregó la camisa a Clara, que les había seguido hasta la sala—. Estírate —dijo. Tiró de su servilleta y la apretó contra el costado de Nicolás.

Este hizo una mueca de dolor.

—¿Voy a morir?

—Todavía no puedo saberlo.

Alvarado retiró la sangre. Frunciendo sus frondosas cejas, examinó la herida.

Nicolás apenas pudo aguardar un instante antes de preguntar:

—¿Lo sabe ya?

Al fin, Alvarado dijo:

—Buenas noticias. Vas a vivir. Tuviste suerte, la bala sólo te rozó. Parece que pasó justo por debajo del brazo. Es un milagro.

Un milagro de la Virgen, pensó Nicolás.

—Traeré el botiquín y un cacharro con agua —dijo Clara.

Alvarado se quitó el revolver y lo dejó sobre una mesa. Acercó una silla y tomó asiento. Entretanto, con la otra mano seguía presionando la herida.

—Pronto dejará de sangrar. Entonces procederé a limpiarla y desinfectarla. Luego la cubriré con una venda.

Nicolás asintió. Le vino la imagen de Chema tumbado en el catre con la herida putrefacta en el estómago. Se vio espantando las moscas. Recordó a Samuel tumbado en otro catre con la pierna fracturada sobre la rampa que el doctor Eddy le había fabricado. Chema y Samuel. Elías y Gerardo. El gringo y el doctor Félix. Tuvo la sensación de que les conocía desde hacía mucho tiempo.

Clara regresó a la sala con paso raudo. Era baja y morena.

Nicolás no supo qué edad ponerle. La observó mientras preparaba el material. Era obvio que lo había hecho otras veces. Hundió un trapo limpio en el agua, lo escurrió y se lo tendió a Alvarado.

—Y ahora, Nicolás, cuéntame cómo te hirieron —dijo el hombre sin levantar la vista de su labor.

—¿No oyó los disparos? Los guerrilleros asaltaron el cuartel.

—De modo que lo hicieron.

Nicolás miró detenidamente a Alvarado, cuyo rostro permaneció impasible. Sólo las cejas se movían. Las palabras que acababa de pronunciar sugerían que estaba al corriente del asalto. De ser así, ¿cuánto tardarían en llamar a su puerta? Pero no, Nicolás no podía preocuparse por eso. Sólo debía tener presente la amabilidad del señor: las mandarinas, el papel para escribir, su compañía hasta la oficina de correos. Nicolás tenía que confiar en esa amabilidad. No tenía otra opción. Respondería a sus preguntas con la verdad.

—¿Cómo te hirieron? —preguntó de nuevo Alvarado.

—Todo empezó hace dos semanas, en el rancho. Los guerrilleros oyeron que el ejército estaba rondando la zona. Se ocultaron en las montañas y mi abuelo y yo nos escondimos en la cueva. Cuando el ejército llegó, quemaron el rancho y me capturaron. Me trajeron al cuartel, donde estuve retenido hasta hoy. Durante el asalto conseguí salir del edificio y escapar pero, como puede ver, me dispararon.

—¿Sabes quién lo hizo?

Nicolás se encogió de hombros.

—Pudo ser el ejército o la guerrilla. A fin de cuentas, todos son iguales.

—¿Qué le ocurrió a tu abuelo?

—El ejército no le capturó. Estaba en la cueva cuando yo fui al río. De eso hace dos semanas, así que no sé dónde está ahora. Pero una vez juramos que si nos separábamos, nos reuniríamos en la iglesia de El Retorno.

—¿Y tu madre? Le envié tu carta. ¿Te contestó?

—Mi madre está muerta. —Era la primera vez que pronunciaba esas palabras, y le sorprendió que sonaran tan firmes.

—El funeral de Monseñor, si no recuerdo mal.

A Nicolás le conmovió que Alvarado recordara lo sucedido. Para dar realismo a su madre, siguió hablando de ella.

—Se llambaba Lety Veras. Trabajaba para la niña Flor de Salah, en San Salvador.

Alvarado asintió. Descorchó una botella que contenía un líquido ambarino e introdujo un algodón.

—Esto te escocerá.

Clara tomó un periódico que había sobre la mesa y agitó el aire. Nicolás se mordió el labio. No gritó cuando el algodón hizo contacto con su piel, ni cuando Alvarado untó una pomada de fuerte olor en la herida, ni cuando apretó contra ella una gasa. Se incorporó débilmente para que Alvarado le rodeara el torso con una venda. De la frente le cayeron gotas de sudor que apartó con una mano.

—Duele —dijo, y lentamente se recostó de nuevo.

—Te daré algo para eso —dijo Alvarado.

—Pero no puedo quedarme. La cocinera del cuartel cree que soy un informante.

En ese momento recordó a Ofelia con medio cuerpo asomando entre los escombros de la cocina. Ofelia gritando. Los pequeños fuegos ardiendo a su alrededor.

—Con nosotros estás a salvo. —Alvarado sacó un comprimido de un frasco—. Tómate esto.

Clara trajo un vaso de agua. Cuando Nicolás se hubo tomado la pastilla, la mujer le limpió la mano ensangrentada con un trapo húmedo. También le limpió la frente, pues la tenía cubierta de polvo blanco.

—Ahora descansa —le dijo Clara, tras lo cual le quitó las botas y le obligó a estirarse del todo—. Mientras duermes, te buscaré otra camisa.

Nicolás cerró los ojos, demasiado cansado para protestar. Se imaginó en el río, flotando en la corriente, mirando el cielo. Llévame, río, pensó. Y dejó que el río le llevara a un lugar donde no había armas, ni soldados, ni guerrilleros. Sólo Nuestra Señora en lo alto de las nubes, iluminándole con su luz.

Llegó la noche. El muchacho todavía dormía. Alvarado fumaba sentado en la penumbra. Para no molestar a Nicolás, había encendido sólo una lámpara que proyectaba una luz tenue sobre el sillón, la mesa y la radio. Esta sonaba con el volumen muy bajo. Alvarado estaba escuchando las noticias sobre el ataque de la guerrilla de ese mediodía. La versión oficial decía que el ejército había matado a un gran número de guerrilleros. Que habían repelido a los asaltantes y evitado que confiscaran las armas del arsenal. Que habían muerto un soldado, una cocinera y una lavandera. En realidad habían muerto veinte soldados y seis guerrilleros. La cocinera y la lavandera, y tres civiles que se hallaban en el lugar erróneo en el momento erróneo, eran muertes adicionales. La guerrilla había entrado en el arsenal. Una camioneta de reparto repleta de armas y munición había huido sin contratiempos.

Sonó el teléfono y Alvarado levantó el auricular.

—¿Bueno?

—¿Señor Alvarado? Soy Basilio Fermín, de San Salvador. Usted nos llamó hace un rato y habló con una sirvienta. Le dijo que tiene a Nicolás Veras.

—Sí, el muchacho está aquí.

—Su madre trabajaba para mi señora. Llevamos varias semanas buscándole, desde que mataron a su madre. El abuelo del muchacho estuvo aquí no hace mucho. Dijo que el chico había desaparecido. Pensó que había venido aquí.

—¿Todavía está ahí?

—No. Regresó a su casa. Dijo que esperaría al muchacho en la iglesia de El Retorno.

—El chico lo mencionó.

—¿Cómo está?

—El ejército lo tenía retenido en Tejutla. Hoy atacaron el cuartel y le hirieron.

—¿Es grave?

—No, sólo una herida superficial. Ahora mismo está durmiendo.

—Iré a recogerle por la mañana. Mi patrona, la niña Flor de Salah, se hará cargo de él y del abuelo. Si las carreteras no están cortadas, trataré de llegar hasta El Retorno.

—Entonces, ¿le espero por la mañana?

—Sí.

El timbre del teléfono había despertado a Nicolás. Como estaba atontado, tuvo dificultad para seguir la conversación. Así y todo, era evidente que hablaban de él. Por la mañana, alguien vendría a recogerle. Ignoraba quién. No importaba. No se dejaría capturar de nuevo. No se vería atrapado otra vez en medio de nada. Sabía lo que debía hacer. Permanecer muy quieto. Hacer ver que dormía. Cuando Alvarado y la mujer se fueran a dormir, huiría.

A través de la ventana de la estancia en penumbra, la media luna proyectaba un rectángulo amarillo sobre la cama, la mesa con el botiquín, las pastillas, el vaso de agua. Sobre la silla de la que Alvarado se había levantado para irse a la cama descansaba una camiseta doblada. Nicolás se apoyó en un codo. Contempló la venda blanca y palpó la gasa con un dedo. La herida parecía tirante. Cuando se movía, la piel se estiraba y eso le dolía. Apoyó las piernas en el suelo y aguzó el oído. La nevera zumbaba en el rincón. Se levantó y tomó la camiseta. Parecía azul a la luz de la luna y era bastante grande. Se la puso y dejó que le cayera sobre la cintura. Se guardó el frasco de comprimidos en el bolsillo y los dedos tocaron los caramelos que había recibido como premio por ser valiente. Retiró el envoltorio de uno de ellos y lo engulló en dos bocados. El dulce caramelo se le pegaba a los dientes. Bebió el vaso de agua. Se calzó las botas, tarea que no le resultó fácil porque no podía inclinar el torso. Buscó la pistola que Alvarado había dejado sobre la mesa, pero no estaba. Como había visto empeorar heridas, se guardó un puñado de vendas y el tubo de pomada.

Se marcharía de la casa por la puerta de atrás. Por el viaje que había hecho con Gerardo y Elías, se acordaba de la arboleda que había no lejos de allí. Cruzó la sala de puntillas. Pasó junto a la mesa redonda que en una ocasión contuvo un cuenco con olorosas mandarinas. Salió a un pasillo corto. Ronquidos profundos llegaban del fondo. Nicolás tomó la dirección opuesta y empujó lentamente una puerta mientras rezaba para que fuera la cocina. Introdujo la cabeza. Una bombilla diminuta que colgaba de la pared proyectaba una luz débil sobre un mostrador. Divisó la silueta de un fogón. De una mesa. De una ventana. De la puerta trasera. Entró, confiando en encontrar algo de comida para llevarse. No había ingerido nada desde el desayuno.

Estaba palpando el mostrador cuando una figura se materializó al lado de la puerta.

—¿Adónde vas? —preguntó.

Nicolás tragó aire con tanta fuerza que el ruido le sobresaltó aún más. Para tranquilizarse, se agarró al mostrador.

La figura llegó hasta el centro de la habitación.

—Soy yo, no tengas miedo.

Estaba envuelta en sombras y Nicolás no podía ver sus facciones, sólo la larga y pálida túnica que la cubría.

—¿Adónde vas? —repitió.

—Tengo que encontrar a mi abuelo.

Nicolás creyó ver que la figura asentía.

—¿No cenaste? ¿Tienes hambre?

—Sí —respondió Nicolás.

—Espera aquí.

La figura pasó por su lado y salió al pasillo.

Nicolás vaciló un instante, confuso por la aparición. Se disponía a alcanzar la puerta cuando esta regresó.

—Aquí tienes queso, manzanas y tortillas. Estaban en la nevera. —Abrió un armario y bajó algo—. Y aquí tienes algunas galletas. Te gustan las galletas, ¿verdad? Son mis favoritas.

Nicolás sólo alcanzó a asentir con la cabeza.

La figura buscó debajo del mostrador y extrajo algo para guardar la comida. Por los crujidos, Nicolás comprendió que era una bolsa de plástico. La figura hizo un nudo con las asas y le tendió la bolsa.

—Toma.

—*Gracias.**

—Vete —dijo ella—. Tómate tu tiempo. Descansa por el camino.

—Sí.

—Eres un chico valiente, Nicolás.

La figura abrió la puerta de atrás a la luz de la luna. No se acercó a la luz. Nicolás pasó por su lado y aspiró un olor familiar, un olor que no conseguía ubicar.

Había recorrido medio bosque cuando cayó en la cuenta. Rosas. La figura olía a rosas, el símbolo de la Virgen. Nicolás se volvió hacia la casa. Había ocurrido otra vez. Para infundirle ánimos, Nuestra Señora se le había aparecido de nuevo.

TREINTA Y UNO

En cuanto hubo amanecido, el viejo se adentró en las aguas tibias del Sumpul. Lanzó un sedal con la esperanza de una buena pesca. Sobre la orilla, su cubo turquesa esperaba a ser llenado. *Capitán* también pescaba. Daba zarpazos a los pececillos que corrían cerca de la superficie del agua. El viejo imploraba a los peces, algo que siempre hacía pero sólo en la mente, donde era seguro tener esa clase de conversaciones. Porque eran conversaciones, pues los peces solían responder. Hoy les dijo:

—Oh, peces, vengan a mí. La parrilla de Úrsula les necesita. —Al no recibir respuesta, añadió—: La gente de El Retorno tiene hambre. Paulina, la de la tienda. Emilio Sánchez. Pablo e incluso Delfina, la de la farmacia. Vengan peces, calmen el hambre de la gente. Vengan a mí y cumplan con su destino.

Los peces contestaron al fin.

—Qué gran cosa, el destino. Tendremos en cuenta tu petición.

Pero no se abalanzaron sobre el cebo. No obstante, el viejo sabía que sólo la paciencia se interponía entre él y un cubo turquesa lleno de peces.

El sol trepó por las copas de los árboles que cubrían la orilla de enfrente. Árboles hondureños. Sobre ellos, el cielo era una serpentina de rosas y lavandas con un azul pálido entremedio. La memoria del abuelo se remontó a una espantosa mañana once años atrás. Estaba en Honduras, donde llevaba varios meses trabajando de peón en una finca ganadera. Era julio y, por tanto, pleno invierno. Las lluvias erosionaban la tierra. Los desprendimientos bloqueaban las carreteras. El río se había desbordado y el lugar donde ahora se encontraba había quedado enterrado bajo el agua. Debido a las lluvias, el cercado de la finca necesitaba reparaciones constantes. Para ello, el viejo había clavado infinitos postes y tachonado interminables tramos de alambrada. Tenía las cicatrices para demostrarlo: perforaciones en los brazos que se habían diluido en pecas grises; la larga hendedura dentada en el muslo derecho.

Entonces la guerra estalló entre El Salvador y Honduras después de un violento y reñido partido de fútbol. Los salvadoreños que trabajaban al otro lado de la frontera fueron obligados a retroceder por la Guardia armada, que tenía el encargo de asegurar que los extranjeros no arrebataran los pocos puestos de trabajo de que disponían los hondureños. Era la historia de su vida: siempre atrapado en medio.

En un lugar cerca de La Arada, a un día de camino río abajo, el viejo cruzó el Sumpul. Para salvarse tuvo que hacer frente a la ferocidad del río: la corriente imparable y furiosa, hinchada, inundada de cantos rodados y fragmentos de árboles que tuvieron la mala fortuna de crecer cerca de la orilla. Con la Guardia pisándole los talones, el río le arrastró con furia. Había mantenido el machete fuera del agua. Lo llevaba enfundado en la vaina y atado a la muñeca con una correa, pero la corriente la partió con el mismo ruido que hacían los peces gordos al golpear los sedales en el mar.

El río demente le arrastró durante casi un kilómetro, estrellándole contra piedras y desechos. El agua fangosa le taponaba la boca, los ojos y la nariz. El ruido ensordecedor del río ahogaba los demás sonidos. Entonces una maraña de arbustos le envolvió como una red a un pez y, milagrosamente, le frenó. Pasó momentos frenéticos luchando contra la corriente que se empeñaba en arrastrarle. Sujetándose con fuerza a la masa de vegetación, se esforzó por ponerse a salvo. Cuando alcanzó la orilla, sus sandalias habían desaparecido y tenía la pernera derecha de los pantalones hecha jirones. Pero eso ocurrió hace mucho tiempo, cuando era un hombre vigoroso de cincuenta y cinco años. Un hombre con todas sus facultades.

Tan absorto estaba en el pasado que no se dio cuenta de que *Capitán* ladraba insistentemente a su espalda. Reparando al fin en los ladridos, el viejo se volvió hacia la orilla.

Y allí, como por arte de magia, estaba su nieto.

—Tata —dijo Nicolás.

Treinta y dos

Nicolás y el Tata se fundieron en un abrazo. No hablaron, sólo lloraron. El abuelo en silencio, el niño con sorbetones que le estrujaban la garganta y aguijoneaban los ojos. *Capitán* aullaba y agitaba el trasero como un bailarín.

—*Vaya, hijo, vaya** —dijo el Tata al fin. Se enjugó los ojos con la mano—. Deja que te vea.

Nicolás se levantó el faldón de la camisa para secarse las lágrimas.

—Me dispararon, Tata. —Aupó aún más la camisa para que su abuelo lo viera.

—¿Quién? ¿Dónde?

—En el cuartel. Fueron los soldados o la guerrilla.

El Tata se inclinó y examinó la venda.

—*Dios Santo,** tenemos que buscar un médico.

Nicolás sacudió la cabeza.

—El señor Alvarado, del centro de salud de Tejutla, me curó. Dijo que no era nada serio. Dijo que sólo era una herida superficial. —Se bajó la camisa y señaló la bolsa de plástico que descansaba en la margen del río—. Ahí llevo medicinas.

—Vamos a casa de Úrsula —dijo el Tata—. Te dará de desa-

* En español en el original. *(N. de la T.)*

yunar y luego podrás descansar. Delfina, la de la farmacia, te echará un vistazo.

—Caminé toda la noche. Iba hacia la iglesia, pero paré en el río para beber y entonces te vi, Tata. —La visión de su abuelo le había hecho olvidarse del cansancio.

El anciano sonrió por primera vez en tres semanas. Posó una mano en el hombro de su nieto y le atrajo hacia sí.

—Te estaba esperando, muchacho.

La población de El Retorno al completo salió a recibir a Nicolás: Úrsula; Delfina, la que había sido dueña de la farmacia; Paulina, la que tenía la tienda; Emilio, que estaba reconstruyendo su taller; y don Pablo, cuya casa había sido destruida y quien ahora vivía con Emilio. Los cinco unieron sus manos y alzaron la mirada al cielo mientras exclamaban que el regreso de Nicolás había sido un milagro. Le abrumaron con preguntas e insistieron en verle la herida cuando contó que le habían disparado. Delfina, lo más parecido a un médico que tenían, untó pomada sobre la herida y la vendó con una gasa limpia. Nicolás se tranquilizó al ver que la herida no estaba roja ni tumefacta, ambos síntomas de infección. Una de las muchas cosas que había aprendido de Félix y Eddy, el gringo alto. Don Pablo se inclinó y le tocó el músculo del brazo.

—Echaste carnes, muchacho.

—En el ejército te hacen trabajar mucho —dijo Nicolás.

—También se diría que te alimentaron bien —intervino Úrsula—. Nunca tuviste tanta carne en lo huesos.

—Te alimentan —respondió Nicolás, sin molestarse en entrar en detalles. De repente se sintió terriblemente cansado.

—Pues esto no es el ejército —dijo Úrsula—, pero tengo tortillas, frijoles y mucho café.

—Sólo quiero un poco de agua —dijo Nicolás. Arrastraba la sed desde el amanecer.

Úrsula llenó un vaso y Nicolás lo apuró de un trago. Luego se bebió otro vaso, y otro.

—Te pasarás el día meando —advirtió Paulina. Estaba de pie, junto a la puerta, con los brazos cruzados sobre la barriga.

El Tata se sentó en el umbral, al lado de su nieto.

—¿No quieres comer?

—No. Quiero dormir.

—Puedes acostarte en tu lugar de siempre —dijo Úrsula.

—¿Dónde duermes tú, Tata?

—En la iglesia. Me traje a la Virgen conmigo. Volvió a su hornacina.

—Pues ahí es donde quiero estar.

Nicolás se pasó el día durmiendo. Se desperezó al anochecer, cuando las velas que Úrsula había colocado en la hornacina de Nuestra Señora empezaron a iluminar el entorno. La sección de árbol caída sobre el altar había sido retirada y ahora sólo se veía una pared de hornacinas vacías y polvorientas. Emilio Sánchez, durante su estancia en la iglesia, había trasladado los bancos rotos al jardín y retirado los escombros. Como la iglesia carecía de muebles y del muro oeste, la noche entraba de puntillas sin que nada pudiera detenerla.

—Ya estás despierto —dijo el Tata.

Llevaba un rato sentado contra la pared, haciendo compañía a su nieto. Nicolás levantó la cabeza. Se frotó la frente y bostezó.

—Me dormí.

—Necesitabas descansar.

Nicolás se apoyó en un codo y señaló con el mentón el fardo que había cerca del altar.

—¿Es esa mi mochila, Tata?

—La usé para llevar la estatua. También te traje el machete y la linterna, y el cordero de madera que talló Basilio Fermín. No encontré el león.

Nicolás levantó la cadera y dio unas palmaditas al bolsillo de su tejano.

—Lo tengo aquí. Me lo llevé cuando salí de la cueva a buscar agua para que me ayudara a ser fuerte.

—Pues fuiste muy fuerte.

—¿Pescaste algo, Tata?

El cubo turquesa estaba junto a la mochila.

—Pesqué algunos peces mientras dormías. Úrsula los está friendo. Podemos bajar a cenar.

Nicolás se sentó. Se notaba rígido y el costado le dolía. Contempló la enorme sombra del conacaste.

—Parece triste.

—Los tiempos duros hacen que todo parezca triste. —El Tata guardó silencio durante unos instantes y luego añadió—: ¿Cómo tienes el costado?

Nicolás se encogió de hombros.

—Me duele, pero la pomada está ayudando.

—Por la mañana, si te ves con fuerzas, bajaremos a Dulce Nombre de María para tomar el autobús a San Salvador.

—¿Por qué?

—Porque ha de verte un médico.

—¿Iremos a casa de la niña Flor?

Tata asintió.

—Cuando desapareciste, fui a su casa y hablé con Basilio Fermín. Me dijo que la familia Salah quiere hacerse cargo de ti.

Nicolás sacudió la cabeza lentamente. Los acontecimientos empezaban a tomar formas que no podía controlar y se sintió como una piedra lanzada a un río veloz. Desvió la mirada de su abuelo. Tenía que decirle algo. Se armó de valor y respiró hondamente.

—Mamá está muerta, Tata.

Había pronunciado las palabras en voz baja para suavizar el golpe. Se abrazó, pues haberlo ocultado todo ese tiempo había supuesto un enorme peso. Ahora que había dicho la verdad a otra persona, tuvo la sensación de que podía elevarse del suelo polvoriento de la iglesia y desaparecer por encima de sus escombros.

—Lo sé. Encontré su zapato en la mochila. Además, Basilio me lo dijo.

—¿Qué te contó?

—Me llevó a la tumba de tu madre. La enterraron en un lugar lleno de lápidas y ángeles blancos.

—¿Tiene la tumba de mamá un ángel?

—No. Tiene una estatua de la Virgen Milagrosa.

Nicolás asintió.

—Tu madre adoraba a Nuestra Señora.

Guardaron silencio durante un rato. Contemplaron cómo la oscuridad se hacía más profunda. La noche otorgaba al aire una dulzura que se esforzaron por aspirar, aunque sólo fuera para sacudirse el desánimo que se había apoderado de ellos.

—Anoche vi a la Virgen —dijo Nicolás al fin—. Llevaba puesta una túnica blanca. Me dio galletas. Están en la bolsa de plástico. Dijo que eran sus favoritas.

—Tienes suerte de que Nuestra Señora se te aparezca.

—Es cierto.

El Tata se levantó y estiró las piernas.

—¿Quieres un poco de pescado? —preguntó.

Bajaron cansinamente por la cuesta de la iglesia hacia casa de Úrsula, sorteando los baches y boquetes perpetrados por el ataque aéreo.

Capitán y el perro de Emilio estaban acabándose las cabezas de pescado que Úrsula les había arrojado a la calle. Después de cenar, los habitantes del pueblo se reunieron alrededor de la puerta de la tortillería para charlar, pues la casa de Úrsula era la única iluminada eléctricamente. Una bombilla suspendida del techo de la tortillería proyectaba su preciada luz hasta la calle. No era que El Retorno se hubiera quedado sin electricidad, sino que con el asalto del ejército las bombillas, los enchufes y los interruptores habían quedado destrozados. Las dos farolas situadas en sendos extremos del pueblo seguían en pie, pero las bombillas estaban rotas y no había recambios ni dinero para comprar otras. Y aunque hubiesen tenido dinero, carecían de una escalera para instalarlas. Cuando Úrsula regresó a casa, lo hizo portando entre las manos su bombilla de cuarenta vatios como si fuera agua.

Todavía el centro de atención, Nicolás estaba desconcertado. No quería ser grosero, pues se trataba de sus mayores y, por tanto, estaba en deuda con ellos, pero lo cierto era que no quería hablar de las cosas que ellos deseaban saber: la guerrilla, el ejército, las armas, las tácticas. En fin, todo. Para disuadirles, respondía con frases cortas. Cuando *Capitán* levantó la cabeza de las espinas y empezó a gruñir, Nicolás se alegró pero enseguida percibió la interrupción como una amenaza.

—¿Qué ocurre, *Capitán*?

El perro tenía el cuerpo tenso. Estaba mirando la calle que se extendía más allá del círculo iluminado por la bombilla de Úrsula.

—¿Qué ocurre, muchacho? —preguntó el Tata.

Dirigió la mirada calle abajo. Todos lo hicieron. De repente se oyó una voz desconocida:

—Por favor, agarren a sus animales.

Machete en mano, Emilio se separó del grupo.

—¿Quién va?

—Sólo nosotros —dijo una voz de mujer.

Los perros levantaron las orejas y empezaron a ladrar.

—¡Sujétenlos! Venimos con niños.

—¿Quiénes son ustedes? —preguntó Emilio. Tenía los perros al lado, pendientes de una señal.

—Somos de San Francisco Morazán. Las fuerzas de seguridad quemaron nuestro pueblo. Llevamos todo el día caminando.

Emilio silenció a los perros. El Tata se acercó y agarró a *Capitán*.

—Muéstrense —dijo el mecánico.

Una niña de unos tres o cuatro años caminó hasta la luz. Le siguió una mujer y luego un niño.

La mujer llevaba los brazos en alto para disipar los miedos.

—Sólo somos nosotros. Por favor, no suelten a los perros.

—Se calmarán.

Emilio y el Tata sujetaron a los animales hasta que dejaron de ladrar. La mujer señaló la oscuridad que se extendía a su espalda.

—Hay más. Nosotros somos los primeros. Mi pequeña corre mucho.

—Tengo hambre —dijo la niña. Llevaba el pelo recogido en dos coletas flacas. Tenía la nariz llena de mocos y los brazos y las piernas cubiertas de mugre.

Instantes después, cinco personas más anunciaron su presencia: dos mujeres y tres hombres. Uno de ellos era Basilio Fermín.

TREINTA Y TRES

Los recién llegados traían consigo noticias perturbadoras: como la guerrilla había atacado el cuartel de Tejutla, las fuerzas de seguridad estaban peinando la zona en busca de los responsables. Por tierra y por aire, el ejército estaba limpiando la región de insurgentes capaces de otros asaltos. La gente de El Común había huido de sus casas, como la de San Francisco Morazán y San Rafael. Todos huían hacia el norte para escapar de las tropas procedentes del sur.

La gente se congregó en torno a la puerta de Úrsula, atraída por la única bombilla y porque la mujer estaba repartiendo tortillas. Basilio Fermín era el portavoz de los recién llegados. El hecho de vestir ropa de ciudad, calzar zapatos de cordones y lucir una jipijapa le había otorgado esa autoridad. Que llevara revólver era un motivo más.

—Fue una suerte tropezar con él —dijo uno de los recién llegados, un hombre de treinta y tantos años—. Don Basilio va armado. Tenemos suerte de que sea uno de nosotros.

Basilio explicó que el señor Alvarado le había contado lo de la limpieza del ejército esa misma mañana. Había ido a su casa para recoger a Nicolás, pero al ver que no estaba supuso que el muchacho había regresado a El Retorno. Basilio llegó hasta Dulce Nombre de María, donde se vio obligado a abandonar el coche.

—Había muchos controles en las carreteras —dijo—. Había guardias y policías por todas partes. Fue un milagro que lograra esquivarles. No quería arriesgarme demasiado, así que estacioné el coche en una calle secundaria y eché a andar.

Nicolás tenía sentimientos encontrados con respecto a la presencia de Basilio. Apreciaba al hombre; después de todo, había sido amigo y compañero de trabajo de su madre. Pero también era cierto que Basilio tenía intención de llevarle a San Salvador, y aunque Nicolás deseaba abandonar el caos de las montañas, no quería separarse de su abuelo.

—¿Qué haremos ahora? —preguntó el Tata, como si le hubiera leído el pensamiento a Nicolás—. A este muchacho le hirieron ayer. Tengo que llevarle a San Salvador.

—Estoy bien, Tata —dijo Nicolás, azorado por las palabras de su abuelo.

—¿Qué quiere decir con que le hirieron? —preguntó Basilio.

—Estoy bien —repitió Nicolás. Se levantó la camisa—. Llevo una venda. El señor Alvarado dijo que era una herida superficial. —Se bajó la camisa para indicar que la cuestión estaba zanjada.

—Tu abuelo tiene razón —dijo Basilio—. Ha de verte un médico. Pero ahora mismo no podemos llegar a San Salvador por la ruta habitual.

—¿Y El Carrizal? —propuso alguien—. Allí hay una clínica popular.

Allí está el gringo Eddy, pensó Nicolás.

—Por mucho que nos duela, todos deberíamos irnos —intervino Paulina—. El ejército nos bombardeó hace seis semanas a causa de la guerrilla. Luego prendieron fuego a su rancho, don Tino. Los soldados no tardarán en volver.

—Paulina tiene razón —dijo Úrsula—. Deberíamos seguir el río hasta La Arada. Es un día de camino. Allí podremos cruzarlo. No lejos de ese lugar, en Honduras, hay un campamento de refugiados.

—Yo lo crucé una vez —dijo el Tata—. O, mejor dicho, lo intenté. El río se había desbordado y me dio un paseo.

—Eso no podría ocurrirle ahora —repuso Paulina—. Faltan semanas para la estación de las lluvias.

—Yo no pienso dejar el pueblo otra vez —dijo don Pablo—. Me quedo, pase lo que pase.

—Yo también —convino Emilio Sánchez—. No me marché antes y tengan por seguro que no me marcharé ahora. —Señaló los perros—. Me quedaré aquí con los chuchos. No sería prudente llevarlos. Los ladridos podrían delatarles.

El Tata asintió.

—¿Y usted? —preguntó a Basilio.

—Yo voy a donde vayan usted y el muchacho.

Todos tuvieron algo que decir en cuanto a las ventajas e inconvenientes de escapar y propusieron varias rutas. Al final, todos salvo don Pablo y Emilio decidieron partir. Seguirían el río hasta Ojo de Agua, cerca de la aldea de La Arada. Allí podrían cruzarlo en su punto más próximo al campamento hondureño. Por el camino, se detendrían en El Carrizal para que Nicolás se hiciera examinar la herida en la clínica. Si se marchaban ahora, podrían viajar bajo la protección de la noche. Si todo salía según lo previsto, llegarían a su destino mañana al anochecer.

TREINTA Y CUATRO

Por la izquierda venían los revolucionarios, la guerrilla. En busca de lealtad, reclutas, víveres y un puerto seguro entre el anonimato del pueblo, actuaban prestamente contra las personas que se negaban a satisfacer sus necesidades o traicionaban su causa.

Por la derecha venía el ejército, la Guardia y las fuerzas paramilitares Orden, persiguiendo a la guerrilla y eliminando a simpatizantes, ya fueran reales o imaginarios.

Atrapado peligrosamente en medio estaba el pueblo, un pueblo que moría en el fuego cruzado de armas e ideologías, que sufría por los seres queridos fallecidos o torturados, que vertía lágrimas sobre hogares destruidos y bienes saqueados. Acorralados en una corriente de amenazas, no les quedaba más opción que huir.

Al oír el sonido lejano de disparos, del zumbido de aviones o del rugir de helicópteros, la gente reunía sus posesiones y abandonaba sus casas. Se unieron a sus vecinos y se adentraron en las montañas. Viajaban de noche, si podían esperar a que esta llegara. Seguían senderos trillados que serpenteaban el terreno irregular, atados unos a otros con cordeles o cinturones para no dispersarse. Durante el día permanecían bajo los árboles o cerca de cualquier vegetación que pudiera ocultarles. Contemplaban las espaldas de los demás, rezando para no caer en una emboscada tendida por la derecha o por la izquierda.

La gente abandonaba sus casas en grupos pequeños que se unían a otros para formar grupos más grandes. Al final constituían una multitud que avanzaba con un objetivo común: sortear los peligros que le imponía el destino, llegar a La Arada y cruzar el río Sumpul.

Llegaba gente de ciudades, pueblos y aldeas. Venían de San Francisco de Morazán y Los Encuentros. De Los Amates y Cuevitas, La Reina y San Rafael. De La Laguna provenía la familia Sánchez: un hombre mayor y su esposa, su hija Luz y los tres hijos de esta, el más pequeño un bebé atado a la espalda materna con un tapado negro. Mientras avanzaban, Luz brincaba ligeramente sobre sus talones para crear un suave balanceo que adormeciera a su pequeño. No quisiera Dios que empezara a llorar y les delatara.

De Santa Rita eran las dos hermanas Velazco y los seis hijos que sumaban entre ambas. Les acompañaba el perro de la familia, un chucho de aspecto curioso con motas marrones y blancas. Trotaba por la montaña olisqueando el suelo con el morro. Un niño de cinco años llamado Moisés caminaba junto al perro. Tenía la tarea de silenciarle si empezaba a ladrar.

También había gente de Las Vueltas, Vainillas y El Sitio. Adela Orellana y su anciana madre habían vivido toda la vida en este último pueblo. Doña Carmelina caminaba ayudándose de un bastón torcido. Ambas mujeres llevaban puestos sus respectivos delantales, como si en cualquier momento pudieran llamarlas a cocinar. .

Recorriendo penosamente la tierra de sus antecesores, tierra privada de nutrientes por los tiempos del añil, la gente era ajena a la labor de sus antepasados, al peaje que su trabajo había extraído de la tierra. Pero la sangre ancestral corría por las venas de todos y les daba fuerzas y valor para perseverar. La gente se ayudaba a avanzar. Quienes podían portaban sobre la cabeza cubos con ropa y víveres. Llevaban consigo petates enrollados, cajas de cartón atadas con cordeles, cestas llenas de pertenencias preciadas, de aquello que no deseaban dejar atrás, a merced del saqueo o la destrucción.

A lo largo de la noche y del día siguiente, Nicolás ponía un pie delante del otro siguiendo al Tata, que a su vez seguía a Basilio y este a Paulina, Úrsula y Delfina. Nicolás llevaba su machete. Colgada a la espalda iba su mochila. Dentro de la mochila viajaba la estatua de la Virgen Milagrosa. Acurrucado junto a ella, el zapato izquierdo de su madre.

Había anochecido cuando el grupo de Nicolás llegó a La Arada. Como otros cientos de personas, agradecieron que su larga huida casi hubiera tocado a su fin. El destino les había traído sanos y salvos hasta aquí. Pasarían la noche cerca del río. En cuanto despuntara el alba, pasarían a Honduras. Gracias a los víveres de Úrsula, el grupo disfrutó de una comida completa alrededor de un pequeño fuego. Docenas de hogueras parpadeaban como luciérnagas sobre el terreno salpicado de chozas y árboles achaparrados. El río Sumpul corría suavemente a corta distancia, a los pies de una ladera pronunciada cubierta de maleza. La noche era cerrada y el aire parecía denso, como si anunciara lluvia, algo extraño, pues todavía faltaba medio mes para la estación lluviosa. Así y todo, a lo largo del día quienes sabían de esas cosas habían señalado el norte y los nubarrones negros formándose por encima de los árboles.

—Está lloviendo en Honduras —dijeron.

El dato era preocupante, pues la lluvia, de ser copiosa, haría crecer el río.

Como había hecho a lo largo del trayecto, el abuelo preguntó una vez más a Nicolás:

—¿Cómo va el costado?

—Tengo que cambiarme la venda.

El niño lo dijo con despreocupación, pero lo cierto era que estaba asustado. El costado le dolía mucho y a veces sentía una intensa punzada. Sabía que no era un buen presagio.

Se llevó una mano a la frente, pero no le ardía como había temido. En lo referente a atención médica, iba a tener que arreglárselas solo. Antes de llegar a El Carrizal recibieron la noticia de que los soldados habían destruido la clínica. Les contaron que las mujeres que allí trabajaban habían sido violadas y asesinadas. Que habían rematado a los heridos que yacían indefensos en los catres. Nicolás pensó en el gringo Eddy y confió en que hubiese huido antes de la irrupción de los soldados.

Buscó en el interior de la mochila la bolsa de plástico que contenía el material médico. Sus dedos rozaron la estatua. Posó una mano sobre ella y rezó: Virgencita, por favor, que no me dé la fiebre. Para aumentar su suerte, también acarició el zapato de su madre. Extrajo la bolsa y entregó la linterna a Basilio para que iluminara el costado. Nicolás mantuvo la mirada clavada en la herida mientras Delfina le atendía. Aunque le dolía, no parecía infectada. Consciente de que debía cruzar el río, recordó lo que Eddy había dicho al pescador de la pierna infectada: «Manténgala fuera del río. El agua del río está sucia.»

—¿Qué altura tiene aquí el río, Tata?

Habían llegado a la aldea demasiado tarde para poder bajar a al río a comprobarlo.

—No demasiada.

—Pero ¿qué altura tiene? ¿Me llegará el agua a la cintura?

—A lo mejor hasta los muslos. Pero no te preocupes, sabes nadar.

Nicolás asintió y no dijo más.

Delfina le miró. La luz indirecta de la linterna daba a su cara el aspecto de una extraña máscara blanca y negra.

—Ya está. Esto te aguantará un día entero.

Basilio apagó la linterna. Nicolás dio las gracias a Delfina y guardó el material en la bolsa de plástico. Entonces se acordó de las galletas que le había dado Nuestra Señora.

—Tengo postre —dijo, y empezó a repartirlas.

Úrsula soltó un gritito de alegría cuando le llegó la suya.

—Creo que son mis galletas favoritas —dijo—. Encienda la linterna para que pueda verla.

Basilio dirigió la luz a la galleta.

—¡Son mis galletas favoritas! —exclamó—. ¿Lo ven? Lo dice aquí.

Nicolás miró el disco plano. Llevaba grabada la marca del fabricante: GALLETAS MARÍA.

TREINTA Y CINCO

A media tarde llegó el ejército en masa. Subido a camiones y vehículos blindados, desplegó metódicamente a sus hombres a lo largo de dos kilómetros de la cresta que dominaba el Sumpul. Les acompañaban unidades de la Guardia de Chalatenango y escuadrones armados del grupo paramilitar Orden. Por el momento, permanecían bajo el horizonte de la cresta, fuera de la vista de la multitud reunida junto al río. No atacarían hoy. Esperarían a la mañana siguiente. Entonces se abalanzarían por sorpresa sobre esos insurgentes comunistas, pues no podían ser otra cosa. ¿Por qué si no huían? Si fueran ciudadanos honrados, no tendrían nada que temer y habrían permanecido en sus casas. Como habían huido, pagarían el precio que siempre pagan los traidores, el precio de proteger una nación de los usurpadores de la izquierda, esos timadores de La Habana y Moscú. Por la mañana, ganarían otra batalla y el país daría otro paso en su limpieza hacia la paz.

Oscurecía cuando el soldado José Delgado observó el valle desde su puesto y vio las hogueras del enemigo brillar en la oscuridad. Estas habían facilitado su detección.

Delgado regresó junto a sus compañeros y terminó su cena: carne enlatada con verduras, macedonia y zumo de tomate. Él y otros cuatro soldados habían encontrado un buen sitio bajo un pino. El árbol había perdido muchas agujas y José se frotó un puñado contra los dedos para perfumarse las manos. Recordó que de niño solía visitar esta región con su familia. Había crecido en La Unión, un puerto marino caluroso, húmedo y con olor a pescado y sal. Su abuela vivía en Las Vueltas, apenas a tres kilómetros de allí, y su familia solía venir para disfrutar de la brisa fresca del norte.

—Parece que va a llover —dijo Delgado.

Alzó el mentón y olfateó el aire. Lo hacía con desparpajo porque había oscurecido y sus compañeros no podían verle haciendo lo que había hecho desde que era un niño. Roberto, su hermano mayor, le llamba «perrito» por su inclinación a olfatear el aire. A Roberto le gustaba mofarse de él silbando y diciendo: «Ven aquí, perrito.»

—Puede que parezca que va a llover —dijo otro soldado— pero faltan semanas para la estación de las lluvias.

Se equivocaba.

Sesenta kilómetros al otro lado del río, en Guaritas, Honduras, llovía desde el mediodía. Al principio, la tierra sedienta se bebió el agua, pero al anochecer la lluvia empezó a formar charcos y a deslizarse por las laderas como la seda sobre el raso hasta el río. En torno a las cinco de la mañana, la lluvia perdió intensidad y camiones llenos de soldados hondureños cruzaron el pueblo de Santa Lucía en dirección al Sumpul, a catorce kilómetros de distancia. Su misión: impedir que los miles de salvadoreños acampados al otro lado del río invadieran su país.

El gobierno hondureño no sentía simpatía por El Salvador y la confusión que reinaba en ese país. De hecho, recientemente había entrado en guerra con su diminuto vecino por un reñido partido de fútbol que había desembocado en un incidente internacional. Ahora, ahí estaba ese gentío a sus puertas. Alborotadores comunistas. No serían admitidos. No cruzarían el río. El ejército se encargaría de impedirlo. Establecería una línea de defensa a lo largo de la orilla y obligaría a esa chusma a retroceder.

Nicolás se alejó a rastras de su grupo, que dormía alrededor de las cenizas de la hoguera. Como todavía no había amanecido, utilizó la linterna para bajar al río. Descendió por la inclinada ladera cortando con su machete la maleza que amenazaba con hacerle caer. Una vez en la orilla, peinó la superficie del agua con la linterna. Quedó estupefacto. Era tal como lo había soñado. El río había crecido, engullendo árboles y arbustos en el proceso, y bajaba con fuerza. Se concentró en una rama que flotaba en el agua; en un abrir y cerrar de ojos desapareció de su vista. Atónito, apagó la linterna y permaneció inmóvil. Era cierto lo que Nuestra Señora le había advertido en el sueño: no debían cruzar por este punto. Si Nicolás entraba en el agua, le llegaría más arriba de la cintura.

—Vayan río abajo —había dicho la Virgen—. Márchense ya.

Nicolás encendió de nuevo la linterna y trepó por la pendiente. Ignoraba qué hora era, pero la oscuridad añil de la noche empezaba a adquirir el color del plomo. Siguió trepando. Cuando llegó arriba, le faltaba el aliento y el costado le dolía terriblemente. Notaba el sudor sobre el labio superior. Iluminándose con la linterna, avanzó entre las familias acurrucadas en el suelo. Algunas habían comenzado ya un fuego para calentar el desayuno. La luz de su linterna iluminó el rostro de un niño que se parecía a Mario, el hijo de la enfermera guerrillera. El niño estaba despierto. Curiosamente, no se sobresaltó cuando la luz le iluminó la cara. Estaba tumbado junto a su madre y no abrió la boca.

Nicolás estaba tardando más tiempo en encontrar al Tata de lo que había previsto. En cierto momento se detuvo frente a un grupo que confundió con el suyo, pero al darse cuenta del error siguió avanzando. Cuando finalmente encontró a su gente, apagó la luz y se dejó caer junto a su abuelo. Le sacudió el hombro con suavidad.

—Despierta, Tata, despierta.

Hablaba en voz baja porque no quería alarmar a los demás.

Su abuelo se incorporó con gran esfuerzo y miró a su alrededor.

—¿Qué ocurre, muchacho?

—El río creció, Tata.

—¿Qué?

Basilio, que dormía al lado del anciano, también se incorporó.

—¿Qué pasa?

—El río creció —repitió Nicolás—. No sólo eso. La corriente es muy fuerte.

—De modo que sí llovía en Honduras —dijo Basilio.

Úrsula y las demás mujeres se despertaron.

—¿De qué está hablando? —preguntó en medio de un gran bostezo.

—Dice que el río creció —respondió Basilio.

—¡Uy! ¿Cuánto? —preguntó Úrsula.

—Por lo menos me llega al hombro —respondió Nicolás, exagerando un poco para resultar convincente.

—¡Uy! No puedo cruzarlo si está tan alto —dijo Úrsula—. No sé nadar.

—¿Qué vamos a hacer? —preguntó Delfina—. Yo tampoco sé nadar.

Paulina no dijo nada; era un bulto más en la oscuridad.

—Tenemos que encontrar un lugar donde el río sea más ancho y el agua menos profunda —explicó Nicolás.

—Hay un lugar así a un kilómetro y medio río abajo —dijo el Tata—. Dios sabe que me conozco este río como la palma de mi mano.

—Partamos ya, Tata.

—No tenemos que irnos ahora mismo —dijo Úrsula. Era posible oír la obstinación en su voz.

—Desde luego que no —dijo Delfina—. Hagamos un fuego y preparemos un poco de café. Hay otros grupos haciendo lo mismo. Tenemos toda la mañana para cruzar.

—No, no la tenemos —dijo Nicolás—. Tenemos que irnos ya.

¿Cómo podía explicar lo inexplicable? Que había tenido un sueño. Que Nuestra Señora le había dicho lo que tenía que hacer.

—¿Por qué tenemos que irnos ya? —preguntó el Tata.

Nicolás acercó su cara a la de su abuelo y le susurró al oído:

—Tata, me lo dijo la Virgen. —No podía ver al anciano, así que levantó una mano y le tocó ligeramente la cara—. Es cierto. Me lo dijo en un sueño, Tata.

El Tata calló. Luego dio una palmada a su nieto en el hombro.

—Creo que el muchacho tiene razón. Deberíamos adelantarnos. Cuando toda esta gente despierte, habrá mucha confusión.

Nicolás dejó escapar el aire que, sin darse cuenta, había estado reteniendo. Cerró la mochila y se la colgó a la espalda. Las mujeres refunfuñaron, pero procedieron a recoger sus cosas.

—¿Viene con nosotros, Basilio? —preguntó el Tata. Ya se había levantado y se estaba poniendo el sombrero.

—¿Por qué iba a querer quedarme? —respondió Basilio.

El Tata iba en cabeza. Atrás quedó la gente que empezaba a desperezarse. Atrás quedó el destello cordial de sus hogueras. Atrás quedaron los perros que gruñían a su paso. Rodearon grupos de árboles y media docena de chozas. En el interior de algunas brillaban velas. Al poco rato la luz del alba reveló la presencia de otras personas. También ellas habían decidido madrugar. Transportaban sus posesiones sobre la cabeza, como grandes coronas. Al cruzarse, se saludaban.

—*Buenos días** —decían todos.

Cuando terminaron las chozas, el Tata tomó un sendero trillado. El río transcurría a la izquierda. Bajo la luz naciente aso-

---

* En español en el original. *(N. de la T.)*

mó la neblina elevándose del agua. A la derecha el terreno se allanaba. Aquí y alla afloraban colinas bajas, algunas cubiertas de vegetación, otras yermas y con salientes tallados por el río.

El Tata apagó la linterna y se la entregó a su nieto. Nicolás se detuvo para abrir la mochila y deslizar la linterna en el zapato de su madre. Luego corrió para recuperar al grupo. El orden de la fila se había alterado de forma natural. Ahora el Tata iba el último, precedido de Basilio y su jipijapa. Delante, las tres mujeres caminando juntas. Los seis avanzaban con dificultad. Cinco minutos. Diez. El sol se iba posando sobre las cosas que conformaban el mundo inmediato —la neblina, la maleza, las colinas, el sendero, las rocas— y las mostraba en todo su esplendor. El mundo se llenó de sonidos. El madrigal de los pájaros. Sorprendentemente, el murmullo lejano de una radio. Y siempre, el susurro ininterrumpido del río.

Nicolás se abrió camino hacia la corriente con el machete. Contempló el agua. La neblina se estaba evaporando y dejaba ver la fuerza que llevaba el río. También aquí las aguas parecían profundas. Miró atrás, al lugar donde había examinado el río en la oscuridad. En la orilla ya había gente apelotonada. Algunos se habían adentrado en el río y lo estaban cruzando. Nicolás creyó ver los rizos que formaban sus aleteos al nadar.

Casi había dado alcance al Tata cuando unos disparos de fusil sacudieron la calma de la mañana. De pronto, se hizo el silencio. Hasta el río se volvió mudo. Entonces resonaron más disparos procedentes de lo alto de las montañas. Balas que respondían desde abajo se mezclaron con ellos. Las mujeres dejaron caer al suelo su carga.

—¡Virgen Santa! —exclamó Úrsula.

El Tata y Basilio se volvieron hacia el estruendo. El tiroteo cesó.

—A lo mejor eso es todo —dijo Delfina.

Antes de que pudiera decir otra palabra un zumbido sordo llenó el aire y por encima de las colinas asomaron dos helicópteros. Las puertas de los aparatos estaban abiertas y unos tiradores sujetos con cabestros apretaban el gatillo de sus ametralladoras. Las balas llovían sobre la gente.

—¡Pongámonos a cubierto! —gritó Basilio.

El Tata señaló hacia arriba y hacia la derecha.

—¡Bajo aquel saliente!

Úrsula echó a correr sendero arriba, pero cambió de opinión y regresó.

—¡No! ¡Tenemos que cruzar!

—¡El saliente es más seguro! —gritó el Tata, la voz ahogada por el rugido de los helicópteros, las balas y los gritos de la gente río arriba.

Algunos se aferraban a sus posesiones. Otros tiraban de sus niños. Los había que levantaban a los más pequeños y corrían torpemente. La mayoría rodaba por la maleza en dirección al agua. Sin mirar atrás, Úrsula y las mujeres se unieron a ellos.

Nicolás, Basilio y el Tata permanecieron juntos. El saliente estaba delante, un refugio frente al terreno llano que les dejaba al descubierto. Echaron a correr pendiente arriba, concentrados en lo que había bajo sus pies y no en lo que ocurría sobre sus cabezas. Cuando llegaron al saliente, Nicolás arrojó a un lado su mochila y los hombres sus sombreros. El Tata y Nicolás conservaron sus machetes. Para caber bajo el saliente, se agacharon y se apretaron unos contra otros. Entonces guardaron silencio. El único sonido que salía de ellos eran los jadeos de la respiración.

El mundo se había vuelto loco. Bajo el saliente pudieron verlo todo. Vieron los giros gráciles de los helicópteros al precipitarse sobre el campamento y sobrevolar el río. Vieron las balas humeantes en pos de familias que corrían presas del pánico. Una madre con un bebé en los brazos y un padre con sombrero de paja casi habían llegado a lo alto de la ladera del río cuando las balas los convirtieron en un amasijo de sangre y huesos.

Bajo el saliente, Basilio dijo:

—Cuando era niño, vi a mi familia morir así.

Nicolás se volvió hacia el hombre y percibió un destello vidrioso en sus ojos oscuros.

De las colinas llegaba ahora un estruendo de ametralladoras. Vieron cómo la gente se dispersaba en todas direcciones, levantando el polvo bajo sus pies. Pese al rugido de los helicópteros, podían oír los gritos suplicantes de la gente, sus fieros lamentos. Vieron cómo rodaban por la ladera hasta el agua cortando la maleza como si fueran machetes, haciendo caer piedras y tierra, torciéndose brazos y piernas, fracturándose los huesos.

Nicolás, Basilio y el Tata vieron el río removido por la lucha frenética de seres humanos por salvar la vida. De pronto oyeron disparos que venían de una nueva dirección: soldados hondureños alineados en la margen opuesta estaban disparando a la gente que nadaba hacia ellos.

Apretados bajo el saliente, espantados y sin dar crédito a sus ojos, oían los disparos que llegaban de la derecha, de la izquierda y de arriba. Veían las balas dar en el blanco. Veían a la gente ahogarse. Veían cómo el río las enterraba.

Bajo el saliente, los tres presenciaron algo que su memoria siempre retendría. Río. Polvo. Piedra. Hueso. Esas eran las cosas que llevarían consigo. Las cosas que nunca olvidarían.

Treinta y seis

Una vez los helicópteros hicieron su último paseo sobre el río y regresaron a la base, una vez los soldados dejaron de disparar y, con los fusiles al hombro, regresaron a los camiones, la Guardia bajó y rodeó a quienes seguían vivos, a los desafortunados que habían quedado atrapados entre las balas de dos ejércitos. La gente volvió a formar filas, pero esta vez por obligación. Les ataron los pulgares a la espalda. Zarandeados por fusiles, los prisioneros echaron a andar para ser interrogados y encarcelados. A algunos, naturalmente, les esperaba algo peor.

Antes de que los guardias descendieran, y aprovechando la calma antinatural, Nicolás, el Tata y Basilio salieron de debajo del saliente y treparon a tierras más altas. Protegidos por los pinos y la maleza, descendieron por el espinazo de una cresta baja que transcurría paralela al río. Mientras se hallaban bajo el saliente habían elaborado un plan: seguirían la cresta en dirección al sur, hasta una curva de herradura que hacía el río. Irían a Las Vueltas, localidad donde se hallaba una de las fábricas de velas de don Enrique Salah. Una vez allí, Basilio llamaría a su empleador y este vendría a buscarles. Mientras aguardaran, Prudencio Murillo, el gerente de la fábrica, cuidaría de ellos. Ese era el plan.

Pero por ahora marchaban en fila, Basilio en el centro. Vigilantes y cansados, caminaban con cautela, cada uno empuñando un arma: el Tata y Nicolás sus machetes, Basilio un revólver Smith and Wesson del 38. Parecía que estaban solos, pero no era su intención correr riesgos. Se comunicaban exclusivamente haciendo gestos con las manos y la cabeza. Mantenían los oídos atentos a las pisadas o el chasquido de fusiles. Sus ojos se afilaban ante cualquier cambio de luz, por sutil que fuera.

Aunque debía de ser cerca de mediodía, las nubes que cubrían el cielo suavizaban la intensidad del calor. El sol se filtraba débilmente entre las ramas de los árboles, creando algunas sombras. Los pájaros revoloteaban y más de una vez les hicieron detenerse bruscamente y afilar la mirada. Nicolás caminaba con la mirada al frente, sin desviarla en ningún momento hacia el río que corría por su izquierda, al pie de la colina. No quería verlo. No quería ver el cargamento humano que transportaban sus rápidas aguas: primero un anciano o una anciana, luego un niño y quizá la madre.

Tras una hora de camino la montaña giró a la derecha y descendió suavemente hacia el río. Nicolás se reajustó la mochila. La estatua de Nuestra Señora era una mano firme que le mantenía erguido. La herida le ardía y temía que estuviera sangrando. Se notaba la camisa y el lateral de los tejanos empapados.

—¿Podemos parar un momento? —preguntó, rompiendo el silencio mantenido hasta ese instante.

—Creo que no hay peligro —dijo el Tata.

Como había hecho muchas veces durante el trayecto, se pasó una mano por la cabeza. Había dejado su sombrero atrás, igual que Basilio, y la ausencia del mismo le molestaba.

—Tata, mírame si sangra la herida.

Nicolás se levantó la camisa pero no miró. Aunque la cara le ardía, no la palpó con la mano. Hacía dos días que le habían disparado. Si tenía fiebre y sangraba, sería su final.

Basilio se guardó el revólver en el cinturón y él y Tata bajaron la cabeza para inspeccionar la herida.

—No sangras —dijo finalmente el anciano.

Nicolás levantó el brazo y se miró el costado. La venda estaba sucia y empapada de sudor, pero era cierto, no había sangre. Se bajó la camisa, sintiéndose ya mucho mejor y más frío.

Basilio miró en derredor.

—¿Sabe dónde estamos? —preguntó al Tata—. ¿Cuánto falta para Las Vueltas?

—Quizá otra hora…

En ese momento un fuerte aleteo estalló en el árbol que tenían sobre sus cabezas. El sonido les sobresaltó. Basilio se llevó una mano al arma. Tata dio un paso atrás. Nicolás agachó la cabeza. El aleteo sonó de nuevo. Los tres alzaron la cabeza al unísono.

—¡Uy, zopes! —exclamó Nicolás.

Dos buitres se habían instalado como estatuas negras en una rama alta de un pino muerto.

—Odio los zopes —dijo Nicolás.

El Tata miró alrededor.

—Donde hay zopes…

Basilio señaló con su revólver un puñado de arbustos. Los tres se acercaron sigilosamente. Lo que vieron les llenó de espanto: unos doce buitres sentados en el suelo agitando las alas, gritando y saltando. Algunos estaban encaramados directamente sobre lo que parecían tres cuerpos. Se veían las botas. Los pantalones. Los pájaros estiraban sus largos cuellos arrugados y hundían sus poderosos picos en la carne. Mientras se atiborraban, giraban la cabeza amenazadoramente hacia cualquier intruso que intentara participar del banquete.

La horrible escena encendió una luz en la mente de Nicolás. Levantó el machete con una mano y la otra la elevó al cielo en forma de garra. Volvía a ser un león. Se abalanzó sobre la maleza. Rugió, saltó y silbó. Los buitres levantaron el vuelo con una explosión de aleteos. Nicolás repartió golpes con el machete a sus garras voladoras. Algunos buitres sobrevolaron el río. Otros se acomodaron en las ramas desnudas de los pinos. Guardaron las alas y recuperaron la compostura. Pacientemente, esperaron.

Corto de resuello, Nicolás inclinó el torso. Luego se llevó las palmas a las rodillas y se enderezó. El abuelo se acercó y le puso una mano tranquilizadora en la nuca.

—Hijo, hijo —murmuró sosegadamente.

Al cabo de un instante, Basilio dijo:

—Miren esto.

Nicolás se volvió hacia el objeto que sostenía Basilio. Era un fusil M-16, como los que Nicolás había visto manejar a la guerrilla. Como los que había visto empuñar a los soldados.

—¿Dónde estaba? —preguntó atónito.

—Debajo de uno de los cuerpos. —Basilio no señaló y nadie miró—. Esos tres guerrilleros no lo tuvieron fácil —dijo.

—¿Qué vamos a hacer con eso? —preguntó el Tata.

Nicolás arrebató el arma a Basilio.

—Yo sé qué hacer.

Se acercó a la orilla del río y se puso de cuclillas. Tal como había visto hacer a los soldados cuando limpiaban sus fusiles después de cenar, tal como les había visto hacer en el campo de tiro, desmontó el arma. Sus dedos trabajaban con destreza.

Primero apretó el liberador del cargador. Como era de esperar, el cargador estaba vacío. Lo dejó en el suelo. Desenroscó la anilla de la correa. Un giro rápido. Dos. Tres. Cuando el cañón cedió, lo colocó al lado del cargador. Luego apretó el cierre situado al lado del gatillo y la culata cedió. La colocó al lado del cañón. En sus manos sostenía ahora la recámara, ese pequeño mecanismo de destrucción.

Se levantó y reunió las piezas. Avanzó unos pasos río abajo. Alzó el brazo y arrojó la recámara todo lo lejos que pudo. Luego el cargador. La culata y el cañón exigían otro tipo de lanzamiento. Los hizo girar uno a uno sobre su cabeza y los lanzó en el momento justo. Contempló cómo el cañón y luego la culata volaban sobre el río. Contempló el chasquido que producían al ser engullidos por la corriente.

—Ya está —dijo.

Regresó junto al Tata y Basilio. Ambos estaban de pie frente al río, boquiabiertos.

—*Vámonos** —dijo Nicolás.

Sonrió tímidamente, giró sobre los talones y puso rumbo a Las Vueltas y la fábrica de velas de don Enrique Salah. Caminaba con la fuerza de un león y el corazón de un cordero.

Epílogo

El doctor Nicolás de la Virgen Veras ha recibido el prestigioso Premio Manuel Quijano Hernández, así llamado en honor al renombrado médico, poeta y escritor. El premio se otorga cada año a aquel médico en los albores de su carrera que mejor ilustre el eterno interés del doctor Hernández por las necesidades de la gente de El Salvador. El doctor Veras se licenció en 1996 con matrícula de honor por la Universidad Evangélica, en cuya facultad de medicina cursó sus estudios. Hace poco finalizó su residencia de tres años en la especialización de traumatología del Instituto Salvadoreño de Servicios Sociales, el ISSS. Tras la ceremonia de la entrega de premios se celebró una recepción en el Salón José Matías Delgado de la Universidad Evangélica. El doctor Veras recibió la felicitación de familiares y amigos. Entre ellos se encontraba su esposa, Altagracia Veras; su abuelo, Celestino Veras; un amigo de muchos años, Basilio Fermín; y sus benefactores, el señor don Enrique Salah y su esposa, la señora Florencia de Salah.

De *La Prensa Gráfica*, 25 de mayo de 1999, San Salvador, El Salvador.

AGRADECIMIENTOS

Estoy en deuda con Jim Kondrick, que vivió esta historia conmigo hasta el final. Gracias, Jaimsey, por tu amor, por tu agudeza y por exigirme lo mejor de mí misma. También mi más profundo reconocimiento y amor a Anita Álvarez, el doctor Carlos Emilio Álvarez y Jim Ables, que me brindaron ideas y ayuda de incalculable valor.

Estoy agradecida a Ellen Levine, mi amiga y agente, la mejor agente del mundo; a Louise Quayle por su apoyo alentador; y a Leslie Wells por su asesoramiento editorial y su fe entusiasta en mi trabajo. Gracias especialmente a Bob Miller por decir sí una, dos, tres veces.

Y, como siempre, mi agradecimiento eterno al Espíritu sin el cual no llegan las palabras. Y a la Virgen Milagrosa por ese milagro.

Una parte de las regalías de este libro será donada a la For All The Kids Foundation, Inc, P.O. Box 225, Allendale, New Jersey 07401, organización que concede becas dirigidas a contribuir al desarrollo intelectual, social y cultural de los niños con pocos recursos de todo Estados Unidos.